Catherine et Stéphanie

Volume 2

Les éditions de la courte échelle inc.
160, rue Saint-Viateur Est, bureau 404
Montréal (Québec) H2T 1A8
www.courteechelle.com

Dépôt légal, 3e trimestre 2011
Bibliothèque nationale du Québec

La courte échelle reconnaît l'aide financière du gouvernement du Canada par l'entremise du Fonds du livre du Canada pour ses activités d'édition. La courte échelle est aussi inscrite au programme de subvention globale du Conseil des Arts du Canada et reçoit l'appui du gouvernement du Québec par l'intermédiaire de la SODEC.

La courte échelle bénéficie également du Programme de crédit d'impôt pour l'édition de livres – Gestion SODEC – du gouvernement du Québec.

Catalogage avant publication de Bibliothèque et Archives nationales du Québec et Bibliothèque et Archives Canada

Brouillet, Chrystine

Catherine & Stéphanie

Chaque œuvre a été publ. séparément à partir de 1990.
Sommaire : v. 2. Le vol du siècle ; Les pirates ; Le complot.
Pour les jeunes de 9 ans et plus.

ISBN 978-2-89651-480-9 (v. 2)

I. Brochard, Philippe. II. Titre.

PS8553.R684C37 2010 jC843'.54 C2010-940305-3
PS9553.R684C37 2010

Imprimé au Canada

Chrystine Brouillet

Du plus loin qu'elle se souvienne, Chrystine Brouillet a toujours lu. Enfant, elle passait des heures à la bibliothèque ou lisait à l'ombre des arbres en été. Adolescente, elle découvre les aventures du gentleman cambrioleur Arsène Lupin. Adulte, elle se met à l'écriture et fera partie des tout premiers auteurs de romans policiers au Québec. Aujourd'hui, Chrystine est toujours une lectrice insatiable, mais elle passe aussi beaucoup de temps à écrire. Quand elle raconte une histoire — ce qu'elle aime par-dessus tout —, on n'a qu'une envie : la lire jusqu'au bout !

Philippe Brochard

Philippe Brochard a commencé à publier des dessins et des bandes dessinées lorsqu'il était étudiant. Aujourd'hui, il est graphiste et illustrateur. Il dessine pour plusieurs magazines et illustre beaucoup de livres pour enfants.

De la même auteure à la courte échelle

Collection Albums
Une chauve-souris qui pleurait d'être trop belle

Collection Premier Roman
Mon frère, le dragon

Série Clémentine :
Mon amie Clémentine
Les pièges de Clémentine
Clémentine aux quatre vents
Clémentine n'aime pas sa voisine

Hors collection Premier Roman
Série Clémentine :
Clémentine

Collection Roman Jeunesse
Série Andréa-Maria et Arthur :
Mystères de Chine
Pas d'orchidées pour Miss Andréa !
Les chevaux enchantés
La veuve noire
Secrets d'Afrique
Le ventre du serpent
La malédiction des opales
La disparition de Baffuto

Série Catherine et Stéphanie :
Le complot
Le caméléon
La montagne Noire
Le Corbeau
Le vol du siècle
Les pirates

Hors collection Roman Jeunesse
Série Andréa-Maria et Arthur :
Andréa-Maria et Arthur, volume 1
Andréa-Maria et Arthur, volume 2

Série Catherine et Stéphanie :
Catherine et Stéphanie, volume 1

Collection Roman+
Série Natasha et Pierre :
Un bonheur terrifiant

Collection Ado
Série Natasha et Pierre :
Un jeu dangereux
Un rendez-vous troublant
Un crime audacieux
Une plage trop chaude
Une nuit très longue

Catherine et Stéphanie voyagent !

Catherine et Stéphanie ont des admirateurs dans plusieurs pays du monde. On peut lire les romans de la série en italien, en espagnol et en chinois.

Des honneurs pour Chrystine Brouillet !

- Prix du Signet d'or désignant l'auteur préféré des jeunes (1993 et 1994)
- Premier prix, Palmarès des clubs de lecture Livromagie pour *Le vol du siècle* (1992)
- Premier prix, Palmarès des clubs de lecture Livromanie pour *Un jeu dangereux* (1990)
- Prix Alvine-Bélisle récompensant le meilleur livre jeunesse de l'année pour *Le complot* (1986)

Pour en savoir plus sur la série Catherine et Stéphanie,
visitez le www.courteechelle.com/collection-roman-jeunesse

Chrystine Brouillet

LE VOL DU SIÈCLE

Illustrations
de Philippe Brochard

la courte échelle

À Claire Arsenault

Chapitre I
Mon cousin Olivier

— Ah! Tu ne peux pas comprendre, Cat, ce que ça m'a fait quand Mathieu m'a regardée! Il n'a même pas semblé remarquer Juliette Doré. Savais-tu que le doré est un poisson? Je trouve que Juju a des yeux globuleux comme eux! Non?

J'ai hoché la tête. Inutile d'essayer de raisonner Stéphanie quand elle vient de tomber en amour! Elle réfléchit autant qu'une poignée de porte ou une roche. Mais celles-ci ne répètent pas toutes les cinq secondes que je ne peux pas savoir comme Mathieu Goulet est beau, merveilleux, fantastique, extraordinaire, gentil, drôle, et beau, et merveilleux!

Cela dit, Stéphanie était tellement rêveuse qu'elle n'a même pas remarqué que je m'assoyais près de la fenêtre. C'est la troisième fois qu'on voyage en train ensemble et on s'est toujours disputé la place à côté de la fenêtre.

Là non. Stephy ne pensait qu'à Mathieu Goulet.

Et moi à ce que m'avait raconté mon cousin Olivier.

La veille, au téléphone, il m'avait répété qu'il avait hâte que j'arrive à l'auberge du Pic Blanc où un client très bizarre avait pris pension depuis deux semaines.

— Il a un comportement vraiment étrange, Cat! m'expliquait Olivier. Georges Smith prétend avoir choisi notre auberge pour profiter de l'air pur, mais il ne fait qu'une heure de ski par jour. Et toujours à la même heure. À seize heures. Et après avoir entendu les hurlements d'un loup.

— D'un loup? Il y a des loups dans votre région?

— Non. Je me suis renseigné et il n'y en a plus depuis des années. Et ce n'est pas tout, Georges Smith adore les betteraves! Quelqu'un qui aime les betteraves n'est pas tout à fait normal, non?

J'étais d'accord avec mon cousin Olivier. Et je lui promis qu'avec Stephy, on découvrirait qui était son mystérieux client.

— À demain! Papa ira vous chercher à la gare à dix heures.

Dans le train, je regardais ma montre toutes les dix minutes. J'étais tellement excitée à l'idée d'élucider un nouveau mystère! Et de revoir Olivier, bien sûr.

Olivier, c'est mon cousin préféré. Cette année, on a fêté Noël ensemble. C'était super! Sauf pour ma chatte qui avait peur du fauteuil roulant d'Olivier. Mais elle a fini par s'y habituer et, le lendemain de son arrivée, elle a dormi sur ses genoux. Elle devait trouver ça très bien qu'il ne bouge pas.

Moi, je gigote tout le temps. Olivier, lui,

a les jambes paralysées, à la suite d'un accident de ski. C'est un triple imbécile qui lui est rentré dedans en voulant épater ses copains! Il devrait y avoir des amendes sur les pentes de ski comme sur les routes!

Ça fait donc deux ans qu'Olivier est en fauteuil roulant. Les médecins ont essayé bien des traitements, et avec la rééducation, Olivier a retrouvé l'usage de ses bras! Tant mieux! Il tapote son clavier d'ordinateur plus vite que tout le monde! C'est un expert en jeux vidéo.

Cependant, même s'il est super doué avec son ordinateur, il ne peut pas obtenir de son Macintosh des renseignements sur le mystérieux client.

— Je suis certaine qu'on va éclaircir cette énigme rapidement! ai-je dit à Stephy dans le train.

— Quelle énigme? Ah oui! Le client de l'auberge... Peut-être qu'Olivier a imaginé tout ça?

— Mais pourquoi?

Stéphanie a soupiré:

— Il doit s'ennuyer à l'auberge. Tu ne te souviens pas qu'à Noël, il t'a même dit qu'il avait terriblement hâte de retourner à l'école! Il faut vraiment s'embêter pour en avoir envie!

— Moi, ça ne m'arriverait jamais d'avoir envie d'aller à l'école.

— Je pense souvent à lui quand je fais du ski, m'a confié Stephy. C'est tellement injuste qu'il soit paralysé! Alors qu'il aimait tant skier! Je serais si malheureuse si je ne pouvais plus m'élancer sur les pentes!

— Et montrer à Mathieu Goulet tes talents de sportive.

Stéphanie a rougi, toussé:

— Mais ce n'est pas défendu! Ce n'est pas de ma faute si j'ai gagné des médailles en ski...

— Je te taquinais! Tiens! On ralentit enfin! On arrive!

Mon oncle nous attendait comme prévu sur le quai de la gare. Il a acheté l'auberge du Pic Blanc l'été dernier. Elle est située près de la frontière des États-Unis. En haut de la cime la plus élevée! De là, le village nous paraît minuscule!

Après avoir embrassé mon oncle, j'ai demandé des nouvelles de tante Éliane.

— Elle est restée à Montréal pour la fin de semaine, car elle a un travail à terminer. Mais elle nous rejoindra bientôt.

— Elle doit avoir hâte d'accoucher!

— Oui! Et nous aussi, on a hâte! Mais Olivier est plus énervé que nous, parce que lui, il va avoir un petit frère!

— Sûrement, me suis-je empressée de dire. Je savais pourtant que ce n'était pas le bébé qui tracassait mon cousin.

— Il se prépare déjà! Il fait la cuisine, c'est d'ailleurs lui qui fait les croque-monsieur en vous attendant!

Et c'étaient des super croque-monsieur avec des tomates et des oignons. J'adore le fromage gratiné! Stéphanie et moi, on n'en a pas laissé une miette: Olivier était fier de son succès.

— On jurerait que vous revenez d'une journée de ski tellement vous avez faim!

— On peut en faire cet après-midi?

— Oui, Patrick sera avec vous pour cette première journée de ski, a dit mon oncle.

— Qui est Patrick? ai-je demandé.

— Patrick Turbide est le moniteur de ski. Il est très sympathique, nous a expliqué Olivier.

— Et Jean-Marc qui était là durant les Fêtes?

— Il s'est fracturé un bras. On a été

Le vol du siècle

chanceux de trouver aussitôt Patrick pour le remplacer. La semaine de l'accident, il y avait quinze débutants qui venaient à l'auberge! Sans moniteur, j'aurais eu des problèmes, a dit mon oncle. Tiens, quand on parle du loup... Voici Patrick.

Stéphanie s'est retournée pour voir Patrick entrer dans la pièce. Elle a écarquillé les yeux et gardé la bouche ouverte. Si on avait été en juillet, les mouches auraient eu tout le temps d'y rentrer!

Chapitre II
Le bébé est pressé!

Patrick Turbide se tenait dans l'embrasure de la porte de la cuisine et nous souriait de ses dents blanches. J'ai tout de suite compris que Stéphanie le suivrait sur les pentes de ski avec empressement!

Elle battait des paupières, rougissait et semblait avoir oublié Mathieu... Et sa crème au caramel: je l'ai mangée sans qu'elle s'en aperçoive.

— Alors? Ces demoiselles viennent-elles skier avec moi?

— On arrive! s'est écriée Stephy encore plus vite que je ne l'avais imaginé.

— Viens voir mon jeu vidéo avant, a dit Olivier en me faisant un petit signe de tête.

— Je reviens dans deux minutes! ai-je fait en ouvrant la porte de l'ascenseur.

L'auberge n'a que deux étages, mais il y a un ascenseur pour Olivier. On s'amuse beaucoup à monter et à descendre.

Dans l'ascenseur, mon cousin m'a dit

d'essayer de skier jusqu'à seize heures.

— Peut-être que tu pourrais découvrir d'où vient le hurlement du loup?

— Heureusement qu'il ne fait pas trop froid! Tu me demandes de skier durant plus de trois heures!

— Stephy va sûrement être contente...

— Toi aussi, tu as remarqué que Patrick lui plaisait? Quand je pense qu'elle m'a parlé de Mathieu Goulet durant tout le voyage!

Sitôt qu'on est sortis de l'ascenseur, mon cousin m'a désigné une porte au bout du couloir:

— C'est sa chambre, a-t-il chuchoté. Il est parti en ski. Tu pourrais peut-être entrer pendant que je fais le guet? Essaie de voir s'il n'y a pas de poste émetteur. Je me suis parfois arrêté devant sa porte et j'ai entendu des bruits bizarres.

— Tu veux que j'entre maintenant? ai-je bredouillé.

— Juste une minute. Moi, je n'ai pas pu y aller, car mon fauteuil roulant ne passe pas dans l'embrasure de la porte. Tiens, voici le passe-partout.

J'hésitais, car pour moi, une chambre, c'est privé, intime... Et c'est alors que mon oncle m'a appelée du rez-de-chaussée.

— Ton amie Stéphanie s'impatiente! Vous jouerez plus tard au jeu vidéo. Profitez de la clarté pour skier, les jours sont si courts en hiver!

Je suis donc descendue... Et j'ai découvert une Stéphanie habillée, bottée, gantée... Et qui commençait à transpirer tellement elle avait chaud.

— Cat! s'est exclamée Stéphanie. Je suis prête depuis des heures!

Il faut toujours qu'elle exagère...

— Allons-y!

Le temps était gris et il allait bientôt neiger. Mais la neige était parfaite, pas trop molle, pas trop dure. J'avais l'impression de planer au-dessus d'une mer immaculée. C'était féerique.

Et encore davantage pour Stéphanie! Elle pouvait faire étalage de tous ses dons de skieuse et elle ne s'en privait pas pour épater Patrick Turbide! Notre beau moniteur a eu droit aux figures les plus compliquées... Pendant qu'elle tentait de l'éblouir, je m'éloignais vers la piste bleue, ma préférée.

Patrick m'a aussitôt arrêtée:

— Non, ne va pas par là. Il y a de la

glace. C'est une piste trop dangereuse.

— La piste bleue? J'y suis allée au Jour de l'an.

— Mais elle est glacée maintenant! a protesté Patrick.

— Je n'ai pas peur...

— Pourquoi pas? Si elle veut y aller? a dit Stéphanie.

Je comprenais son manège: elle voulait rester seule avec le beau Patrick...

— C'est imprudent, a-t-il répété. D'ailleurs, il est presque seize heures! Ça fait assez longtemps que vous skiez. C'est votre première journée de ski. Et le temps se couvre, vous feriez mieux de rentrer. Et puis, Olivier doit avoir hâte de bavarder avec vous. Et un bon chocolat bien chaud vous ragaillardira!

On était loin des seize heures! Et ce n'était surtout pas le moment de quitter les pentes! J'allais dire que je voulais rester quand Stéphanie s'est exclamée:

— Oui! Ce sera excellent! J'adore le chocolat!

Quelle menteuse! Elle n'en prend presque jamais, car elle a peur d'avcir des boutons! J'ai essayé de lui faire des signes pour qu'elle comprenne qu'on devait rester dehors, mais elle s'éloignait déjà vers l'auberge.

J'ai traîné un peu, espérant que personne ne le remarquerait, mais Patrick et Stéphanie m'ont crié d'accélérer un peu ma cadence! J'ai même fait semblant de tomber, mais Patrick m'a relevée et m'a ensuite escortée jusqu'au chalet.

— Tu vois, m'a-t-il dit. Tu es fatiguée. C'est dans ces moments-là qu'on a des accidents et qu'on se casse une jambe!

J'ai vaguement acquiescé en pensant que je ressortirais après avoir bu mon chocolat. À quelques mètres du chalet, Patrick nous a quittées.

— Tu ne prends pas de chocolat avec nous? a gémi Stéphanie.

— Non, je dois aller faire des courses au village. Et ensuite, je vais me reposer pour être en forme demain! Je ne pensais pas que j'aurais des élèves aussi douées que vous! Salut, les belles!

Inutile d'ajouter que Stephy frémissait de contentement, et j'attendais qu'elle me vante tous les mérites de Patrick. Je pouvais deviner qu'elle dirait qu'il était beau, fin, intelligent, fantastique, extraordinaire, merveilleux... J'avais déjà entendu cette chanson-là!

Mais cette fois-ci, j'y ai échappé.

Quand on a poussé la porte du chalet, il y régnait une telle excitation que même Stéphanie a oublié Patrick. Oncle Philippe était dans tous ses états, car on avait téléphoné de l'hôpital pour nous prévenir que tante Éliane allait accoucher dans les prochaines heures. Le bébé arrivait trois semaines avant la date prévue!

— Elle devait accoucher au début du mois de mars! a dit mon oncle.

Olivier rigolait:

— Mon frère est pressé de me connaître! Pars vite, papa, si tu veux arriver avant lui!

— Mais... je ne peux pas te laisser tout seul...

Stéphanie et moi, on a crié en choeur:

— On est là, nous! On est là!

— Je sais! s'est exclamé mon oncle. En passant au village, je vais demander à Jocelyne de monter vous retrouver.

— Jocelyne? a répété Stéphanie d'une voix acide. Déjà jalouse!

Jocelyne est une cliente de l'auberge, nous a expliqué Olivier. Elle n'y habite pas en permanence, mais elle y mange souvent, entre deux séances d'observation. Elle travaille au service de la faune. Et passe des heures dans la forêt.

On a aidé oncle Philippe à faire sa valise. Il devait se dépêcher, car il commençait à neiger. Il était si excité qu'il ne parvenait pas à attacher les courroies. C'est Olivier qui a retrouvé les clés que mon oncle avait égarées dans son énervement. En partant, oncle Philippe a embrassé Olivier en lui disant:

— Notre petit Hugo sera bien chanceux d'avoir un frère si raisonnable.

Oups! Si oncle Philippe avait su ce qu'on manigançait... Ça nous arrangeait vraiment qu'il parte: on aurait le champ libre pour fouiller la chambre avant l'arrivée de Jocelyne.

Avant de claquer la portière de l'auto, mon oncle nous a dit qu'on pouvait aussi s'adresser à Patrick, si on avait besoin de quelque chose:

— Il habite plus bas, dans le chalet isolé à la sortie de la piste bleue. Dites à M. Smith que je m'excuse de partir comme ça! Tâchez de ne pas l'empoisonner avec votre cuisine...

— Papa! a protesté Olivier.

— Attention! Éteignez bien le four!

— Promis!

Oncle Philippe a reculé au lieu d'avancer, mais il a fini par s'éloigner dans la bonne direction. On lui faisait de grands signes de la main quand on a entendu tousser derrière nous.

C'était Georges Smith.

J'ai tout de suite trouvé qu'il ressemblait à un fox-terrier. Lorsqu'il a enlevé sa tuque, ses cheveux étaient retroussés comme de petites cornes, et il avait le menton carré et avancé comme le museau des terriers.

— *Hi!*

— Aïe! a répondu Stéphanie.

— Ton père est parti? a demandé Georges Smith à Olivier.

Ça me paraissait évident!

— Pour longtemps?

— On ne sait pas. Mais ne vous inquiétez pas, on va se charger de la cuisine.

L'étranger a fait une drôle de tête et a dit que ce n'était pas nécessaire. Qu'il ne voulait déranger personne. Qu'il préparerait lui-même ses repas.

— Avec des betteraves? a demandé Stéphanie.

— Oui. Vous aimez?

On s'est contentés de faire un grand sourire.

Chapitre III
La tempête

Dès que Georges Smith s'est éloigné, Olivier a déclaré qu'il fallait absolument fouiller sa chambre.

— Mais quand?

— Il va toujours faire du ski vers seize heures. À cause du signal!

— Quel signal? a demandé Stéphanie.

— Celui que tu m'as fait rater tout à l'heure en voulant absolument boire un chocolat avec ton moniteur!

J'ai expliqué à Stéphanie qu'en rentrant à quatorze heures et quart plutôt qu'à seize, je n'avais pu savoir d'où venait le hurlement du pseudo-loup.

— On aurait pu profiter du fait qu'il sort à cette heure-là pour le suivre. On saurait qui il rejoint, a dit Stéphanie. Mais on ne verra rien avec cette tempête qui commence. Il vente déjà beaucoup!

Je n'ai jamais vu tomber autant de neige aussi vite! À peine une heure après le départ de mon oncle, il devait y avoir un demi-mètre de neige. On aurait dit que les flocons faisaient une course. Au début, on a trouvé ça très beau.

Puis on s'est demandé si Georges Smith irait skier comme à son habitude. Il était presque quinze heures trente et il n'était pas encore descendu de sa chambre.

En attendant son départ, on a décidé de faire de la bière d'épinette. C'est la spécialité d'Olivier. Il ne met pas de vrais conifères, mais du gingembre. Et du sucre, des citrons, de la levure. Il faut attendre quarante-huit heures pour y goûter.

Et il faudrait peut-être attendre autant pour que Georges Smith quitte l'auberge. Le jour déclinait et donnait de belles teintes bleues à la neige. Mais on n'avait pas le coeur à la poésie... On s'impatientait, car l'étranger restait avec nous. Il faut dire qu'il ventait de plus en plus.

Jocelyne a téléphoné pour nous avertir qu'elle avait été obligée de rebrousser chemin. Les routes étaient impraticables: elle ne voyait pas à un mètre devant elle.

Nous étions donc seuls avec Smith...

Je n'aimais pas trop ça.

Pour me changer les idées, j'ai décidé

de m'activer. J'ai répété qu'il fallait fouiller la chambre. Et tout de suite. Après tout, Georges Smith avait peut-être renoncé à aller dehors à cause de la neige.

— Mais comment faire pour entrer dans sa chambre? a dit Stephy.

— J'ai un plan! Écoutez-moi, a chuchoté Olivier.

C'était une bonne idée! On a attiré l'étranger hors de sa chambre en faisant éclater du maïs. La pétarade du pop-corn l'a intrigué, et il est venu voir à la cuisine ce qu'on faisait.

Pendant qu'on surveillait le poêle, Olivier a demandé à Georges Smith de l'aider à entrer dans l'ascenseur. Il a ensuite fait semblant d'avoir mal manoeuvré, et l'homme a pénétré dans l'ascenseur pour aider Olivier. Il faut reconnaître qu'il était serviable. J'avais un peu honte de le soupçonner d'être un criminel.

Mes scrupules se sont vite évanouis... Après avoir bloqué l'ascenseur, Stephy et moi, on a fouillé la chambre de Georges Smith.

On a trouvé presque immédiatement le poste émetteur. Il était tout simplement caché sous le lit.

Puis on a découvert, entre deux piles de chandails, une mallette de cuir très lourde, pleine de bijoux.

Des vrais! J'en étais certaine! Pas de la camelote. Il y avait un magnifique collier où deux oiseaux de vermeil se faisaient face. Leurs ailes étaient constellées d'émeraudes.

Il y avait également des bracelets avec des saphirs et des diamants, des bagues avec des coeurs sertis de rubis et d'autres pierres dont j'ignorais le nom... Je ne connais pas non plus le prix des bijoux, mais ça valait sûrement très, très cher.

Les yeux de Stephy étaient aussi brillants que les pierres précieuses!

— J'aimerais ça essayer le collier!

— On n'a pas le temps! On fait mieux de tout ranger en vitesse. Tu n'entends pas Georges Smith crier?

— Ça serait difficile de faire autrement!

Notre touriste tapait dans la porte de l'ascenseur en hurlant. On est allés ouvrir. Il est sorti bien plus rapidement qu'il n'était entré. Comme convenu, Olivier faisait semblant d'être fâché:

— Mais qu'est-ce que vous attendiez

pour nous libérer?

— On faisait ce qu'on pouvait! Je pense qu'il y a eu un court-circuit à cause de la tempête! On avait beau actionner les boutons en haut et en bas, l'ascenseur restait bloqué.

— J'ai manqué d'étouffer! a fait mon cousin.

— Il y a eu une panne d'électricité?

— Non, ai-je dit.

— Oui, a répondu Stephy en même temps.

L'étranger nous a regardées avec un air étrange...

— Et le pop-corn? a demandé Olivier pour faire diversion.

— Je fais fondre le beurre. En voulez-vous, monsieur Smith?

— *No thanks,* je vais...

La sonnerie du téléphone l'a interrompu. Comme on ne bougeait pas, il nous a demandé d'un ton sec:

— Alors? Vous répondez?

Habituellement, c'est mon oncle qui s'occupe des appels pour les clients. Je me suis dirigée lentement vers le téléphone, en guettant la réaction de Georges Smith. Il était visiblement anxieux. À qui devait-il parler?

— Oui, allô! Ah! c'est toi, oncle Philippe. Tu es arrivé à l'hôpital malgré la tempête? Quoi? Qu'est-ce que tu racontes? C'est une farce bien plate! Attends, Olivier va te parler.

Olivier s'est exclamé comme moi. Car oncle Philippe lui apprenait que tante Éliane n'était pas à l'hôpital. Qu'elle n'allait pas accoucher plus tôt que prévu. Et qu'elle était très étonnée que mon oncle soit venu la retrouver à Montréal. Pour ne pas l'inquiéter, il lui a dit qu'il était simplement venu la chercher pour lui éviter de prendre le train.

Olivier a dit ensuite que Jocelyne n'avait pu monter jusqu'ici, mais qu'on se débrouillait très bien et que son père n'avait pas à s'inquiéter.

Il mentait un peu... Car on avait pensé la même chose en même temps: quelqu'un avait voulu éloigner mon oncle du chalet. On n'avait pas inventé cette histoire d'hôpital pour rien.

Georges Smith s'est vite retiré dans sa chambre à notre grand soulagement: on pourrait discuter en paix.

— Vous pensez ce que je pense? a dit Olivier en plongeant une main dans le plat de pop-corn.

— Oui! Il va téléphoner! Il croyait que cet appel était pour lui. C'est certain! Et j'imagine que c'est son complice qui a appelé ton père tout à l'heure, a répondu Stéphanie.

— Sa complice! Chaque fois qu'on l'a demandé au téléphone, c'était une voix de femme. Avec un accent, elle aussi.

— C'est peut-être un homme qui déguise sa voix?

— Non, non. Avant de l'entendre, je me demandais si Patrick n'était pas le mystérieux interlocuteur. Mais non, sûrement pas. C'est vraiment une voix de femme... Très douce.

— Patrick! a protesté Stephy! Tu n'as pas honte de le soupçonner!

— Et si on écoutait plutôt ce que Smith dit maintenant? Sur le téléphone d'en bas?

— Il va s'en rendre compte, a fait remarquer Stephy. Il y a toujours de l'écho...

— Non, tu n'as qu'à frapper à sa porte pour lui demander s'il veut un café. Juste au moment où on décrochera l'appareil.

— Et s'il s'en aperçoit quand même? ai-je demandé.

Olivier a haussé les épaules:

— Il ne sera pas content... Mais on pourra toujours dire qu'on voulait rappeler Jocelyne?

— Il faut que ce soit toi, Olivier, qui écoutes la conversation. Au cas où il parlerait anglais. Je ne suis pas assez bonne...

— D'accord.

Mais pour savoir si Georges Smith téléphonait, il fallait l'entendre parler. Je suis montée et je me suis plantée devant sa porte. Quand je l'ai entendu décrocher l'écouteur, j'ai fait un signe à Stéphanie qui est aussitôt descendue prévenir Olivier. J'ai attendu soixante secondes, puis j'ai frappé à la porte.

Smith m'a ouvert et même s'il a paru surpris que je lui offre un café, il a refusé très poliment.

J'ai dévalé l'escalier:

— Alors?

— Il a déjà raccroché. Peut-être qu'il s'est méfié?

— Mais il a dit avant: *«Tonight. At seven o'clock.»*

— Et l'autre, qu'est-ce qu'elle a répondu?

— O.K., Georges.

— C'est plutôt mince comme information... C'est difficile de deviner ce qu'ils veulent faire ce soir. Tu crois que Georges Smith veut quitter l'auberge?

— Peut-être que sa complice doit venir le chercher?

— Comment? En tapis volant? On ne voit rien! Jocelyne ne peut pas nous

rejoindre ici et ce n'est que le début de la tempête!

Les flocons tourbillonnaient de plus en plus vite, happés par le vent qu'on entendait souffler très fort. Habituellement, j'aime les tempêtes, mais à l'auberge, on avait un peu trop l'impression d'être isolés du reste du monde...

— Et on ne manque même pas une journée d'école, ai-je dit à voix haute.

— C'est bête de gaspiller comme ça une belle tempête, a ajouté Stéphanie en m'approuvant.

On s'est tus, un peu découragés. C'est Olivier qui a brisé le silence:

— Puisqu'on est coincés ici, aussi bien en profiter pour trouver des preuves contre Georges Smith.

— On devrait peut-être appeler les policiers? ai-je dit.

— Qu'est-ce qu'on va leur raconter? Ils ne nous croiront jamais! Ils penseront qu'on se moque d'eux!

— Et ils auraient raison si Georges Smith est innocent. Il est peut-être représentant pour une bijouterie?

— Et à qui les vendrait-il par ici?

Stéphanie a soupiré:

— Moi, j'achèterais bien un des bracelets en or, si j'avais de l'argent.

— Et moi, les boucles d'oreilles. Les miennes sont ternies et tiennent mal à mes oreilles, ai-je fait en me tapotant le lobe gauche. Flûte! J'en ai perdu une!

— Mais où?

— Quand?

— Si je savais où et quand, ma boucle ne serait pas perdue!

— Tu dois l'avoir égarée en enlevant ta tuque! m'a dit Stéphanie. On va aller voir près de la porte d'entrée.

— Ah! La coquetterie féminine! a soupiré Olivier. On a autre chose à faire, les filles! Il nous faut des preuves que les bijoux ont été volés. Quand on aura une liste précise des bijoux, les policiers nous prendront au sérieux.

— Bonne idée! Il y a juste un petit problème: faire sortir encore une fois Georges Smith de sa chambre. Et pour un long moment.

— On ne peut pas répéter le coup de l'ascenseur...

Chapitre IV
La page du journal

— Chut! Le voilà, a dit Stephy. Bonjour, monsieur Smith. Vous avez changé d'idée pour le café?

— Non, je vais aller faire de la raquette.

— Vous avez raison, a répondu Olivier. C'est tellement amusant dans une tempête! Vous devriez y aller aussi, les filles!

Il disait ça, bien sûr, pour dissiper les soupçons de Smith.

— Ah non! Il fait trop froid! Faisons plutôt un feu de cheminée.

— C'est vrai qu'on gèle, ai-je dit. Si on buvait un petit chocolat chaud avant d'allumer le feu?

On a pris beaucoup de temps pour préparer notre boisson. On avait laissé la porte de la cuisine ouverte pour que Smith nous entende. Nous avons imité nos professeurs pour faire rire Olivier.

Et *Mister Smith* est enfin sorti!

— Il doit aller rejoindre sa complice! a dit Olivier. Pourtant, il est plus que seize heures. C'est curieux...

— Profitons vite de son absence!

Aussitôt dit, aussitôt fait! On a retiré la mallette de l'armoire en prenant garde de ne pas déplacer les vêtements. Puis on a ouvert la valise et dressé la liste des bijoux qui s'y trouvaient. Au fond de la valise, on a découvert des billets de banque! Des dizaines et des dizaines de dollars!

Nous n'avions plus de doute sur Georges Smith! C'était un voleur!

— Il faut appeler la police! a dit Stephy en sortant de la chambre.

— Oui, allons-y!

On a composé le numéro de la police.

Et on a entendu... un grand silence.

La ligne était coupée!

Volontairement ou non? Georges Smith était-il sorti dehors pour sectionner les fils téléphoniques? Ou la panne était-elle due à la tempête? J'aurais préféré cette hypothèse...

— Pensez-vous que notre voleur se doute de quelque chose?

— C'est peut-être pour ça qu'il veut partir ce soir? a avancé Olivier.

— On doit l'en empêcher! Il va s'enfuir avec le butin!

— Il nous faut de l'aide! a dit Stéphanie. Si j'allais chercher Patrick?

Chère Stephy! Malgré le péril, elle pensait toujours à son beau Patrick et avait trouvé un prétexte pour le revoir!

— Georges Smith va se demander pourquoi tu es sortie.

— On dira qu'on s'est chicanées.

— Tu n'auras pas peur? a demandé Olivier. Il fait presque nuit!

Comme pour appuyer ses dires, toutes les lumières se sont éteintes! Une panne d'électricité! Une vraie cette fois, qui allait bloquer réellement l'ascenseur. Olivier était condamné à rester au rez-de-chaussée.

Stéphanie s'est décidée:

— On ferait mieux d'informer Patrick de ce qui se passe ici. J'y vais avant qu'il fasse complètement nuit!

— On y va! ai-je dit.

— Non! Reste avec Olivier. Il vaut mieux que vous soyez deux contre Smith. Et peut-être sa complice. Si elle le rejoignait plus tôt? Malgré la tempête...

— Justement, je n'aime pas l'idée de te savoir seule dans cette poudrerie, a fait

Olivier.

— Mais je suis une bonne skieuse! Ne vous inquiétez pas! On n'a pas d'autre solution, de toute manière.

Et avant qu'on ait eu le temps de protester, elle enfilait des vêtements chauds et se préparait à chausser ses skis. Je lui ai glissé deux tablettes de chocolat dans la poche de son anorak et Olivier lui a tendu la lampe-tempête. Et des fusées éclairantes. Au cas où elle se perdrait et aurait à signaler sa présence.

Elle n'était pas partie depuis cinq minutes que Georges Smith entrait par la porte de derrière et s'exclamait:

— Où est votre amie?

— On s'est disputés, c'est normal, ça arrive tous les jours avec elle. Elle est vraiment trop susceptible!

— Il n'y a donc plus d'électricité?

— Non, monsieur.

— Avez-vous un générateur?

— Non, a répondu Olivier. On a juste ces bougies qu'on vient d'allumer et des lampes à huile.

— Il faut faire un feu, ai-je dit.

— Vous ne deviez pas en faire un plus tôt? a demandé Georges Smith.

Olivier a hoché la tête et a pris une mine piteuse:

— C'est vrai, monsieur. Mais je me suis souvenu que mon père ne veut pas qu'on fasse de feu quand il n'y a pas d'adulte dans l'auberge. Mais maintenant que vous êtes rentré, on pourrait aussi alimenter le poêle à bois si on veut manger quelque chose de chaud ce soir?

Ouf! Olivier avait vraiment le sens de la repartie! Et il ne mentait pas: oncle Philippe nous avait bien recommandé la prudence. S'il avait su qu'on voulait emprisonner un malfaiteur!

Plus facile à dire qu'à faire! On ne pouvait même pas échafauder un plan: Georges Smith avait décidé de nous aider à préparer le feu. On lui tendait des bûches et des boulettes de papier faites avec de vieux journaux. Et on bavardait le plus naturellement possible tout en l'observant.

Tout à coup, en déchirant une page de journal, j'ai lu: «Les bijoux Carlton: le vol du siècle!» J'ai eu l'impression que mon coeur battait assez fort pour que tout le monde l'entende! Il fallait que je subtilise la page!

Je l'ai pliée discrètement. Et quand Georges Smith a brassé les bûches, j'en ai profité pour la glisser sous mon chandail. Olivier m'a regardée avec surprise, mais n'a rien laissé paraître. Il comprenait enfin mes clins d'oeil!

J'ai tendu d'autres boulettes à Georges Smith pour qu'il les cale entre les bûches. Et au bout de quatre minutes, je me suis

levée pour aller dans la cuisine. J'ai fait couler l'eau du robinet pour paraître occupée.

Et j'ai lu l'article du journal.

Un vol sensationnel a eu lieu cet après-midi à la bijouterie Carlton de Montréal. Un individu a réussi à pénétrer dans le magasin pourtant protégé par un dispositif antivol électronique ultramoderne. Le criminel aurait trouvé le code d'accès de l'ordinateur qui règle l'ouverture et la fermeture des coffres et des portes de la bijouterie.

Les enquêteurs croient que ce triste individu avait un complice à l'intérieur de la bijouterie, mais ils n'ont pas voulu en dire plus. Parmi les bijoux volés, notons les bagues croisées en forme de coeur qui avaient appartenu à la princesse Alexandra Ire.

Les rubis qui sertissent les coeurs d'or sont inestimables. Le bracelet orné de saphirs d'une célèbre cantatrice et le collier d'émeraudes aux deux oiseaux de vermeil, ainsi que des boucles d'oreilles décorées de minuscules alexandrites font partie du lot dérobé.

La voilà, la preuve! J'étais super excitée et frustrée de ne pouvoir rien dire à Olivier. Georges Smith s'était installé dans un fauteuil près du feu. Voulait-il y passer la soirée? Y attendre sa complice? Il fallait que Stéphanie revienne au plus vite avec Patrick!

Georges Smith a regardé sa montre, puis il s'est enfoncé dans son fauteuil en nous souriant.

On lui a souri aussi sans trop savoir pourquoi. Il nous a proposé de préparer le repas. J'ai accepté avec un pincement au coeur: je pensais à ma pauvre Stephy qui n'avait que deux misérables tablettes de chocolat. J'espérais que Patrick pourrait lui offrir une boisson chaude!

Je trouvais qu'ils mettaient bien du temps à arriver. Le chalet était pourtant au bout de la piste bleue.

Georges Smith a fait des crêpes et je dois avouer qu'elles étaient très bonnes. Mais il a mangé des betteraves avec! Quelle horreur!

Pendant le repas, Olivier a découvert que M. Smith s'y connaissait en électronique. Moi, je le savais parce que j'avais lu l'article. Mais Olivier, lui, était tout excité et oubliait que Georges Smith était un cambrioleur. On devait pourtant l'arrêter avant que sa complice arrive!

Je lui ai glissé l'article sous la table en disant: «Douze-treize.» Et Olivier m'a aussitôt regardée. Douze-treize, c'est notre code secret depuis qu'on est tout petits. On l'emploie quand on veut se parler sans que nos parents comprennent. Le treize et le douze sont nos dates de naissance.

Olivier a tendu sa main sous la table en même temps que moi, et je lui ai donné l'article du journal. Il a fait semblant de vouloir aller aux toilettes pour pouvoir y lire en paix.

— As-tu besoin... enfin... est-ce que tu voudrais que?

Habituellement, c'est oncle Philippe qui aide Olivier dans la salle de bains. Je ne savais pas trop comment m'y prendre. Même s'il n'avait pas vraiment envie cette fois-là, je devais entrer dans son jeu et lui proposer mon aide.

— Non, merci, ça va aller, m'a dit Olivier.

Chapitre V
La boucle d'oreille

Quand il est ressorti de la salle de bains, Olivier m'a demandé de l'aider à réinstaller sa couverture. C'était, en fait, pour me redonner l'article du journal.

— Et si on cherchait ta boucle d'oreille? a-t-il proposé.

— Une boucle d'oreille? a dit Smith.

— Oui, je dois l'avoir perdue tout à l'heure en rentrant. Mais si elle est tombée avant dans la neige, je ne la retrouverai jamais!

On a regardé dans tous les coins, sous les coussins, derrière les fauteuils, mais on ne voyait pas très bien même si on s'éclairait avec les lampes à huile. On n'a pas retrouvé ma boucle. Ça m'embêtait un peu, car c'était un cadeau de ma marraine.

— Tu essaieras de la retrouver dehors après la tempête, a suggéré Olivier.

Georges Smith m'a dit alors:

— Je t'en offrirai une nouvelle paire...

Avec des brillants.

Moi, j'ai bredouillé:

— Que... que... quoi?

Est-ce que Georges Smith voulait me donner des bijoux volés? Si c'était pour faire des cadeaux qu'il avait fait le cambriolage, je trouvais qu'il avait pris de gros risques! Moi, je serais plus portée à offrir des chocolats. Mais je ne les volerais pas. D'ailleurs, on n'a jamais entendu parler de hold-up de chocolats...

— Mais oui, a fait Smith. Attends-moi deux minutes!

Il s'est levé et est monté dans sa chambre.

On s'est regardés sans dire un mot.

— Mais il n'est tout de même pas pour me donner les bijoux!

— Il est complètement fou! À moins que les bijoux soient du toc!

— Mais non, on n'aurait jamais parlé d'un vol de faux bijoux dans le journal! Je ne peux pas accepter les boucles!

— Si on n'avait pas fouillé dans la chambre de Smith, on ne saurait pas qu'elles ont été volées. Et tu les aurais acceptées sans problème. Pensant justement qu'elles ne valaient pas grand-chose.

— Mais on le sait...

— Smith ne sait pas qu'on sait ce qu'on sait. Si tu boudes son cadeau, il va se demander pourquoi. Il faut les accepter et les rendre ensuite aux policiers.

Les policiers... On n'avait plus tellement envie de les appeler. Car Georges Smith était plutôt aimable avec nous. Ses crêpes étaient vraiment bonnes. Ah! Pourquoi n'était-il pas honnête?

— Ça m'embête d'être obligé de le dénoncer, a murmuré Olivier. Je n'ai jamais été un porte-panier.

— Moi non plus!

— Alors? Qu'est-ce qu'on fait?

— Si on essayait de l'amener à nous avouer le vol? On pourrait ensuite le convaincre de rendre les bijoux...

— Et comment saurait-on qu'il a volé? Il faudrait avouer de notre côté qu'on est allés dans sa chambre?

— On pourrait remettre la page du vieux journal parmi les autres et faire semblant de s'y intéresser. Je lirais à voix haute l'article et on en parlerait.

— Pour dire quoi?

— Que ce n'est pas très bien de voler... Mais que si on connaissait le voleur, on lui dirait de rendre les pierres.

— Qu'on pourrait même le faire pour lui. Sans révéler son nom.

— On devrait ajouter qu'on trouve le voleur bien habile. Il sera flatté... Et mieux disposé à nous écouter.

— D'accord, ai-je dit. Cachons vite la page du journal. Mais n'oublie pas: il faut avoir l'air naturel!

Je n'ai eu aucune difficulté à m'exclamer en voyant les boucles d'oreilles. Ça me coûterait même beaucoup de m'en séparer plus tard... Elles étaient vraiment

très belles avec leurs pierres violettes. J'ai encore pensé à Stephy: elle m'aurait enviée, elle qui aime tant les bijoux! Mais pourquoi mettait-elle tant de temps à revenir? Je commençais à avoir peur...

— Pourquoi aviez-vous des boucles d'oreilles avec vous? ai-je demandé. J'avais hésité à poser cette question, mais je l'aurais fait naturellement si je n'avais pas su ce que je savais. N'importe qui aurait trouvé bizarre qu'un homme ait avec lui des boucles d'oreilles dans une auberge de montagne...

— Tu es bien curieuse, Cat... C'était pour ma fille.

Georges Smith avait dit «c'était»?

Est-ce que sa fille était morte? Est-ce qu'il avait volé les bijoux pour les lui donner avant de mourir? Je n'osais plus le regarder!

— Ah! Peut-être que vous feriez mieux de les conserver?

— Non, non. Vanessa n'aime pas tellement les bijoux. Ce sont plutôt les ordinateurs qui l'intéressent.

— Comme moi! s'est exclamé Olivier. Elle en a un chez vous?

— Oui.

— De quelle marque?

Georges Smith et Olivier se sont mis à comparer les ordinateurs. Ils en auraient parlé toute la soirée, mais moi, heureusement, je n'ai pas oublié de jouer mon rôle. J'ai fait semblant de lire distraitement les titres du journal avant de faire une boulette de papier.

Puis une autre. Mais tout à coup, j'ai lancé:

— Le cambriolage du siècle! Ça s'est passé il y a quelques semaines! Écoutez!

J'ai lu tout l'article et quand j'ai terminé, Olivier a dit:

— Il est vraiment intelligent le voleur! Pour déjouer les dispositifs électroniques il faut être très fort. Mais pas très honnête.

Chapitre VI
Les mensonges

Georges Smith s'est raclé la gorge, a toussé:

— J'ai un peu froid. Je vais aller me chercher un chandail.

Et il s'est levé et est parti.

— Il ne veut pas entendre parler de son vol! ai-je murmuré.

— Il doit en avoir honte.

— Mais il faut bien que...

Je n'ai pas fini ma phrase: la porte de la chambre de Georges a claqué dans un fracas assourdissant.

— Espèces de... de...! a crié Georges Smith. Vous êtes venus dans ma chambre. Moi qui vous faisais confiance.

— Que... Quoi?

— Ne dites pas non! J'en ai la preuve! Tenez! Regardez!

Il a ouvert sa main.

Dans la paume, il y avait ma boucle d'oreille. Cassée en deux morceaux.

— J'ai mis le pied dessus en poussant la porte de ma chambre, a dit lentement Georges Smith. Pourquoi y es-tu entrée?

— Parce que je lui ai demandé d'y aller, a fait Olivier.

— J'imagine que tu avais une bonne raison?

— C'est à cause de l'écureuil.

— L'écureuil?

— J'ai un écureuil apprivoisé, a menti Olivier. Papa ne veut pas qu'il entre dans l'auberge. J'ai profité de son absence pour faire venir Mac ici, mais il s'est enfui dans les chambres.

— Et on a dû le rattraper. On a pensé qu'il s'était peut-être faufilé dans la vôtre.

Georges Smith ne savait pas trop s'il devait nous croire ou non. Mais Olivier le suppliait de ne pas raconter cet incident à son père avec beaucoup de conviction:

— Papa serait furieux! Il dit que l'écureuil est un rongeur! Aussi nuisible que le rat! Mais j'aime bien Macintosh!

Georges Smith n'a pu s'empêcher de sourire:

— Tu as appelé ton écureuil Macintosh? Comme l'ordinateur?

Il paraissait calmé. Il m'a même dit

qu'il s'excusait d'avoir brisé ma boucle d'oreille.

— Ce n'est pas grave. J'aime mieux celles que vous m'avez données. J'ai toujours aimé l'or et les améthystes.

Le mieux est l'ennemi du bien! On allait retenir cette leçon! En voulant trop flatter Georges Smith, je lui avais révélé que je connaissais la qualité des pierres.

— Tiens? Tu crois que je te donnerais des vraies pierres?

— Non! me suis-je exclamée, ce n'est pas ce que je...

Je n'ai pas fini ma phrase. Olivier s'écriait que mon père était bijoutier et que j'avais appris à les identifier.

On n'avait jamais autant menti à l'auberge du Pic Blanc!

Olivier en rajoutait!

— L'article du journal sur le cambriolage a attiré l'attention de Cat, car son père connaît peut-être le bijoutier.

J'ai regardé mon cousin avec effarement: comment Georges Smith pourrait-il ensuite nous avouer son crime s'il pensait que mon père était un ami de sa victime?

Effectivement, Georges Smith a fait: «Oh non!»

— Non quoi? a demandé Olivier.

— Rien. J'ai juste pensé que ce n'est pas grave, puisque l'assurance va payer.

— Les assurances ne couvrent jamais la totalité des pertes! Et les pièces volées étaient très rares. C'est ce qu'on disait dans le journal. On mentionnait un collier d'émeraudes avec des colombes et des boucles d'oreilles en coeur avec des rubis. Et une rivière de diamants à huit rangs. Et une bague avec un chat qui...

Je n'ai pas pu terminer ma phrase: Georges Smith me secouait le bras:

— Les journalistes n'ont jamais parlé de la bague! Fini de jouer aux devinettes, les enfants! Dites-moi tout!

— Tout quoi? a fait Olivier en se ruant sur Georges Smith pour l'empêcher de me malmener. Il me tenait solidement par le coude, mais je lui ai tout de même donné de bons coups de pied... Et j'ai essayé de lui mordre les doigts. Il a cependant réussi à me maîtriser:

— Vous allez vous tenir tranquilles maintenant! a-t-il ordonné en soufflant.

— Pas pour longtemps: Stéphanie va revenir avec des renforts!

— Vous rêvez... Elle n'a pas pu aller au

village, a dit Smith.

— Elle n'y est pas non plus. Elle est allée chercher Patrick.

— Patrick? Oh!...

Il paraissait plus surpris qu'anxieux: il a répété Patrick, puis il a décrété qu'il allait nous enfermer à clé dans une chambre.

— Vous ne fouillerez plus dans mes affaires!

— Et alors? Ça changera quoi? On sait tout! Stéphanie va revenir avec Patrick, et vous serez bien obligé de rendre les bijoux. Vous feriez mieux de nous les donner et de partir avant que Patrick arrive. On ne vous dénoncera pas!

Chapitre VII
L'aveu

Georges Smith semblait embêté:

— Qu'est-ce que je vais faire?

— Remettez-nous les bijoux. Pensez à votre fille! Elle n'aimerait pas apprendre que son père est un gangster!

— Ma fille? Ah! ma fille! Mais c'est pour elle que j'ai volé!

— Vous avez dit vous-même qu'elle n'aimait pas tellement les bijoux!

— Elle, non. Mais son beau-père, oui!

Georges Smith a regardé sa montre, puis le plafond, puis le plancher comme s'il y cherchait une réponse et il a murmuré:

— Autant tout vous raconter... Je ne peux plus revenir en arrière. C'est pourtant ce que je voudrais. Je n'ai jamais volé de ma vie. Mais je n'avais pas le choix. Il m'a enlevé ma fille.

— Il? Qui, il?

— Le bijoutier!

On a appris que Vanessa vivait avec sa mère et son beau-père bijoutier depuis le divorce de ses parents. Et que le bijoutier avait réussi à faire interdire à Georges de voir sa fille plus qu'une fois par mois.

— Je n'accepte pas le jugement de la cour. Je n'ai jamais fait de mal à ma femme et ma fille. Je voudrais la garder! Lui, il lui donne sans cesse d'énormes cadeaux. Mais il ne l'aime pas. Il veut l'acheter.

— Mais pourquoi?

— Parce qu'il veut tout posséder. Les choses et les gens. C'est ce qu'il a fait avec ma femme. Il l'a éblouie avec ses bijoux. Et elle est partie. Elle aurait dû attendre encore un peu. J'aurai fini mes recherches dans quelques mois. Et je serai riche à mon tour.

— À quoi ça vous servira si vous êtes en prison? a demandé Olivier. Et pourquoi avoir volé les bijoux?

— Parce qu'ils appartiennent au beau-père de Vanessa. Je pensais les lui redonner en échange de ma fille. Il est si fier de ses bijoux! Il était si content de les exposer dans un musée! Mais... mais je ne me conduis pas mieux que lui dans cette histoire... Je ne sais plus ce que je dois faire.

Et là, Georges Smith a poussé un grand soupir.

Olivier et moi, on se regardait sans trop savoir quoi dire. Je trouvais que c'était une histoire à dormir debout. Je ne l'aurais pas crue si je n'avais pas vu de mes propres yeux la valise pleine de bijoux et de billets de banque.

— Monsieur Smith... Tout va s'arranger.

— Comment? J'aurais dû avoir traversé la frontière bien avant. Je me suis réfugié ici sous une fausse identité en attendant que les choses se calment. Mais rien ne se passe comme prévu! C'est bien moins compliqué de faire de la recherche que d'être bandit!

Smith nous a expliqué qu'il travaillait en robotique, et ça a semblé plaire énormément à Olivier. Il allait lui poser des tas de questions sur ses recherches, mais je l'ai interrompu:

— Pensons donc au présent plutôt qu'aux fantastiques possibilités que nous offre la recherche pour l'avenir! Stephy est toujours dehors! Il faut aller la chercher!

— J'y vais, a fait Georges Smith. Tout

est de ma faute!

— On va vous aider, monsieur Smith, a juré Olivier. Nous en parlerons à Patrick. Je suis sûr qu'il sera d'accord avec nous.

— Je ne crois pas, a gémi Smith. Patrick est mon complice.

— Quoi? Patrick Turbide a...

— Volé avec moi. C'est lui qui a tout combiné. Ce n'est pas par hasard qu'il est devenu ici moniteur de ski.

— Vous voulez dire que l'accident du précédent moniteur avait été organisé? s'est exclamé Olivier.

— Moi, je ne savais pas que ça se passerait ainsi. Je n'aurais jamais accepté! Mais Patrick m'a mis devant les faits accomplis. Que vouliez-vous que je fasse?

— Vous avez dit que vous aviez volé les bijoux pour les échanger contre Vanessa. Et lui, Patrick?

— Il veut les vendre. Je ne lui ai pas dit que j'avais l'intention de les rendre. Patrick se croit déjà millionnaire. Il pense vivre le reste de ses jours sans travailler. Il est plutôt paresseux: on l'a renvoyé du centre de recherches où je travaille. Il s'occupait trop peu de l'entretien des appareils.

— Mais Stephy est en danger! Il va la garder en otage!

— C'est pour ça qu'elle n'est pas encore revenue! Oh non!

Je me sentais coupable d'avoir laissé Stéphanie partir...

— C'est pourquoi j'y vais immédiatement! a dit M. Smith. Tout en chaussant ses bottes de ski, il poursuivait ses explications:

— Patrick savait que j'étais un as de l'électronique. Il connaissait aussi mes déboires conjugaux. Il a eu l'idée du cambriolage. Je me suis occupé de neutraliser le dispositif antivol. Lui a volé les bijoux. Et on est venus ici. Patrick, d'abord. Et moi ensuite. Il pensait qu'il fallait attendre avant de traverser la frontière.

Il a soupiré, puis il a ajouté:

— Maintenant, ça me paraît fou! Je vais aller chercher Stéphanie. Et me constituer ensuite prisonnier. Vous me faites comprendre mon erreur! Vous avez le même âge que Vanessa...

Olivier a tenté de rassurer M. Smith.

— Tout va s'arranger... À condition que Patrick soit d'accord pour rendre les bijoux.

Le vol du siècle

Smith a secoué la tête vivement:

— N'y comptez pas.

— Il faudra donc ruser! ai-je dit.

Nous avons établi notre stratégie en deux minutes, puis Smith est sorti dehors. Il neigeait moins, heureusement, et avec une bonne lampe de poche, il saurait retrouver le chalet. Il y avait souvent rencontré Patrick, après tout.

Tandis que Smith s'éloignait, Olivier et moi avons caché, comme il nous l'avait demandé, un bâton de baseball. On l'a camouflé sous la couverture qui recouvrait ses jambes. Il s'arrangerait pour côtoyer Smith qui pourrait attraper le bâton au bon moment. On a aussi tendu un quadruple fil de nylon devant la porte pour faire basculer Patrick.

Puis Olivier a eu une autre idée:

— Si on dissimulait les bijoux à divers endroits dans l'auberge? Si les choses tournaient mal, ça nous laisserait du temps pour trouver une solution.

— Mais qu'est-ce que tu veux dire?

— J'espère qu'on a raison de faire confiance à Smith. Son histoire est tellement bizarre.

Nous avons donc vidé la valise, et

caché les bijoux derrière l'horloge, sous des meubles et même dans la farine! Puis nous avons rempli la valise d'objets du même poids et l'avons remise sous le lit.

— M. Smith va trouver qu'on prend de bonnes initiatives!

Chapitre VIII
La valise

On écoutait le vent gémir depuis une demi-heure quand on a enfin entendu d'autres bruits près de l'auberge. J'ai regardé par la fenêtre: Stéphanie et Patrick enlevaient leurs skis.

J'aurais bien voulu crier à Stephy de se méfier, mais j'aurais alerté du même coup Patrick Turbide!

— Et M. Smith?

— Il n'est pas avec eux! Il ne les a pas croisés!

— Qu'est-ce qu'on fait?

— Comme on l'a décidé! On a tout prévu.

Hélas! non...

Stéphanie a poussé la porte avec une attitude de découragement. Elle a gémi bien fort:

— Je n'ai pas retrouvé Patrick! Qu'est-ce qu'on va devenir?

En même temps, elle nous faisait des

signes pour nous prévenir qu'elle nous mentait. Patrick contournait l'auberge pour entrer par une autre porte. Elle pointait du doigt la chambre de Smith comme pour nous demander s'il y était. Moi, je lui faisais signe de reculer, car je ne voulais pas qu'elle touche le fil de nylon.

Elle s'est pourtant avancée et elle a plongé sur le tapis. Le tapis s'est ratatiné sur un coin de la table au moment où Olivier se dirigeait vers la porte de la cuisine.

J'imagine qu'il voulait menacer ou assommer Patrick avec son bâton de baseball. Il n'y est pas arrivé: les franges du tapis se sont coincées dans les roues de son fauteuil. Et lui aussi s'est retrouvé sur le tapis.

En essayant de redresser son fauteuil et de l'aider à grimper et à s'asseoir, je suis tombée aussi! Olivier m'avait pourtant dit comment m'y prendre, mais je dois avoir mal suivi ses instructions.

— C'est toujours pareil, a-t-il dit. Les gens ne m'écoutent jamais comme il faut. On recommence!

Stéphanie m'aidait à soulever Olivier quand elle a chuchoté:

— Où est Smith?

— Parti te chercher! Vous n'avez rien vu?

— Non! Vite, il faut en profiter pour faire entrer Patrick.

— Non! ai-je crié en même temps qu'Olivier.

Stéphanie était interloquée.

— Vous m'envoyez le chercher et maintenant vous ne voulez plus le voir?!

On lui a répété les aveux de Smith. Elle nous écoutait en écarquillant les yeux de surprise. Puis elle a secoué la tête:

— Patrick est beaucoup trop gentil pour être un criminel!

— Mais Smith nous a tout raconté. C'est Patrick qui a organisé le cambriolage. Il ne t'a pas raccompagnée ici pour nous aider, mais pour récupérer les bijoux!

On a entendu un rire mauvais derrière nous: Patrick Turbide nous menaçait de son revolver. Un revolver aux reflets d'argent inquiétants.

— Il y a six balles dans le barillet... Deux chacun? Je vous conseille d'être bien sages et de m'écouter attentivement. Stéphanie va aller chercher la valise. Pendant ce temps, Catherine et Olivier vont me tenir gentiment compagnie... Je crois

que tu sauras faire très vite, n'est-ce pas, ma belle Stephy?

Stéphanie était blême de colère, mais elle s'apprêtait à monter à l'étage quand Georges Smith est entré.

Il a adressé un grand sourire à Patrick. Puis il a dit, comme nous l'avions décidé pour leurrer Patrick:

— Tu es au courant de ce que ces petits monstres ont appris...

— Oui. La maigrichonne m'a tout raconté. Qu'est-ce qu'on fait d'eux?

— Bah! Ils ne peuvent rien contre nous. Nous allons les attacher bien solidement.

— Même si ce n'est pas l'infirme qui pourrait nous poursuivre avec son fauteuil! a complété Turbide en éclatant de rire.

Je ne lui pardonnerai jamais cette remarque! J'avais envie de lui faire avaler sa tuque. Et même ses skis et ses bâtons!

— Je vais chercher des cordes en haut. Et la valise! Puis on part. On n'a pas le choix! Le père du gamin sait que Jocelyne n'est pas ici. Il va finir par s'inquiéter et envoyer les policiers!

— Va donc chercher la valise pendant que je surveille ces trois-là! Même si je ne pense pas qu'ils ont envie de faire joujou avec ça.

Il s'amusait à nous pointer tour à tour. J'avais l'impression d'avoir les jambes coupées. Qu'elles disparaissaient, se dérobaient sous moi. J'ai jeté un regard à Olivier. Et j'ai pensé que lui, c'était en permanence qu'il ne sentait rien aux jambes...

Heureusement que Georges Smith était avec nous! Il m'a fait un petit clin d'oeil en passant à côté de moi pour me donner du courage. Stephy, elle, a dit à Patrick qu'elle lui ferait payer cher ses insultes.

— Je n'ai jamais été maigrichonne!

— Tais-toi, ai-je dit en me rapprochant d'elle.

Patrick riait encore de sa fureur quand Georges Smith est enfin redescendu. On a compté jusqu'à dix, comme convenu, puis j'ai empoigné Stephy par le cou. On s'est jetées à terre tandis que Smith lançait la valise sur Patrick. Mais ce dernier l'a évitée! Il n'a même pas lâché son revolver.

Il a dirigé son arme sur Georges Smith:

— Je me doutais bien que tu essaierais de me doubler et d'utiliser les enfants contre moi! Tu as pris prétexte de venir chercher la maigrichonne pour tenter de te

Le vol du siècle

débarrasser de moi!

— Mais non! Je voulais te prévenir que ces maudits enfants ont tout deviné! Qu'il fallait s'enfuir au plus tôt!

— C'est ça... Chacun de son côté. Moi tout seul et toi accompagné de la mallette.

— Mais non! Puisqu'elle est restée ici! Je serais parti dans la direction opposée sans t'avertir, si c'est ce que j'avais voulu! Je voulais te dire que j'avais réussi à amadouer ces enfants et qu'ils ne nous dénonceraient pas à la police si on remettait gentiment les bijoux! Tu es d'accord? Je te jure que la valise m'a glissé des mains...

— Tu me prends vraiment pour un imbécile?

— On doit rendre les bijoux!

Patrick, sans quitter Smith des yeux, attrapait la poignée de la valise:

— Tu n'en veux plus? C'est parfait. Je vais les garder... Compte-toi chanceux que je te laisse la vie sauve. Mais je sais que tu ne parleras pas de moi aux policiers. Ni de Jocelyne. N'est-ce pas?

— Jocelyne? a crié Olivier.

— C'est moi qu'elle aime! a affirmé Patrick. Moi! J'en suis sûr! Elle m'attend au chalet!

— Non! a dit Smith! Je ne te crois pas! Tu n'es qu'un minable!

— Minable toi-même! Tu verras que Jocelyne ne viendra pas te retrouver! Les enfants, prenez des cordes et attachez ce monsieur. Pas d'entourloupettes! Je vais vérifier les noeuds... Ensuite Stephy attachera Cat et Olivier. Et moi, je me chargerai d'elle. D'accord?

D'accord ou pas, on a fait ce que Patrick nous ordonnait.

La rage au coeur, on l'a vu claquer la porte de l'auberge.

Chapitre IX
La poursuite

Georges Smith avait l'air si enragé que j'ai pensé qu'il briserait ses liens!

C'est Olivier qui a réussi cet exploit. Il n'a pas sectionné ses liens en forçant, mais en les frottant sur un des montants métalliques de son fauteuil. Tandis qu'il se contorsionnait en tout sens, M. Smith nous expliquait que Jocelyne essayait depuis le début de leur aventure de le persuader de remettre les bijoux.

— Si elle reste chez Patrick, c'est qu'elle doit y être forcée! Je me demande ce qu'il lui a raconté!

— Youpi! a fait Olivier!

Ouf! Il avait libéré une de ses mains. Puis l'autre.

— Vite! Détache-moi que je rattrape Patrick! Il ne s'en tirera pas comme ça, les enfants! Notre ruse n'a pas fonctionné, mais je n'ai pas dit mon dernier mot!

Olivier a fait du mieux qu'il pouvait,

mais c'était difficile, car il n'y avait toujours pas d'électricité. Mon cousin est pourtant parvenu à ses fins. Georges Smith s'est levé aussitôt et s'est précipité sur la porte.

— Attendez, il faut qu'on vous dise...

Trop tard, il avait déjà passé la porte!

— On lui dira quand il reviendra.

— Quoi? a demandé Stéphanie en se frottant les poignets.

— Qu'on a caché les bijoux. Il n'y a que des conserves dans la valise.

Elle a éclaté de rire. Olivier et moi aussi. Ouf! Cette aventure se terminerait dans la gaieté. On s'est rapprochés du feu en attendant le retour de Georges Smith. Et on a juré solennellement de ne pas le dénoncer. Après tout, l'important était que le bijoutier retrouve son bien, non?

— Et Jocelyne? C'est elle qui discutait en anglais au téléphone avec M. Smith! Elle s'est moquée de moi durant tout ce temps, a murmuré Olivier. Quand je pense que je lui ai parlé de mes soupçons!

— Mais Georges Smith a bien dit qu'elle voulait qu'il rende les bijoux! C'est pour ça qu'on l'a persuadé aussi facilement.

— Tu penses que c'est vrai? Je ne sais plus qui croire!

On a gardé le silence un bon moment. On était plutôt embarrassés. Je suis certaine qu'Olivier et Stéphanie pensaient comme moi qu'on aurait dû tout dire à oncle Philippe quand il avait téléphoné. Là, il était trop tard pour y songer...

— Et Georges Smith qui n'arrive pas! Je commence à être vraiment inquiète! a chuchoté Stéphanie.

Que s'était-il passé? Poursuivait-il toujours Patrick? L'avait-il rejoint? Avait-il été tué? Blessé? Et Jocelyne? En faveur de qui interviendrait-elle?

La seule chose dont on se moquait, c'était bien la valise!

— Il faut agir! Je ne peux plus rester comme ça à...

— Aaah!

On avait de nouveau de la lumière! Enfin!

— Il faut parler à la police, a dit Olivier d'un ton ferme.

— Facile à dire... Les fils de téléphone sont brisés.

— Et le poste émetteur? Je n'ai pas envie de dénoncer Georges Smith, car il a essayé de nous protéger de Patrick. Mais s'il lui est arrivé un accident?

— Il vaut mieux qu'on le retrouve vivant! Même s'il doit aller en prison.

— On n'a qu'à raconter qu'il poursuivait Patrick pour lui reprendre la valise! Inutile de préciser que lui aussi l'avait volée.

— Mais si les policiers rattrapent Patrick Turbide, celui-ci dénoncera Smith comme complice, a dit Stéphanie.

— C'est encore mieux que de mourir de froid dans la neige!

Là, on a dû montrer que les filles sont aussi fortes que les gars! Car il a fallu monter Olivier jusqu'à la chambre de Smith pour qu'Olivier puisse envoyer un message radio. Et il était beaucoup plus pesant qu'on ne le pensait! Mais on l'aurait porté même s'il avait été encore plus lourd: ça valait la peine!

On venait tout juste de redescendre parce qu'il faisait plus chaud en bas, quand Georges Smith est entré.

Il tenait la valise à la main.

— Et Patrick? a dit Stéphanie.

— Et Jocelyne? a dit Olivier.

— Jocelyne va me rejoindre bientôt.

Quant à cet imbécile de Patrick, il est couché dans la neige avec une jambe cassée.

— Les policiers vont le retrouver rapidement.

— Les policiers? a balbutié Smith.

— On leur a envoyé un message grâce à votre poste émetteur. On n'avait pas le choix! On avait peur que vous ayez eu un accident! a dit Olivier.

— Vous allez remettre les bijoux aux policiers et on leur expliquera que vous nous avez sauvé la vie en nous protégeant de Patrick.

Georges Smith s'est alors approché de nous lentement.

Je n'aimais plus du tout son sourire. Il a tiré un revolver de son anorak et nous a regardés attentivement tous les trois:

— Bon, je n'ai plus de temps à perdre! Puisque je ne vous ai pas par la ruse, je vous aurai par la force! Ça fait très mal une balle dans une jambe!

Mais qu'est-ce qu'il lui prenait?

— Sans toi, je serais à l'abri! a-t-il grondé en s'adressant à Olivier. Je t'ai entendu parler avec ta cousine au téléphone. Et j'avais remarqué les traces de roues de ton fauteuil devant la porte de ma chambre. Tu m'espionnais. Jocelyne me l'a confirmé...

— Et vous avez inventé toute cette histoire avec votre fille! Pourquoi?

— Je devais gagner du temps pour trouver un bon moyen de me débarrasser de Patrick. Quand vous m'avez demandé d'aller au secours de Stéphanie, vous me l'avez fourni, ce prétexte. J'avais vraiment l'intention de me battre et d'assommer Patrick pour faire semblant de sauver Stephy. Alors, vous m'auriez trouvé encore plus gentil! Et vous auriez refusé de me dénoncer.

Smith nous a regardés tour à tour et il a enchaîné:

— Il fallait que je gagne votre confiance à tout prix. Je devais absolument réussir à devenir votre ami pour que vous acceptiez de vous taire... et de me laisser partir avec les bijoux.

— Mais pourquoi n'êtes-vous pas parti chercher Stephy avec la valise?

— Parce que Jocelyne doit venir me retrouver ici très bientôt.

— En êtes-vous sûr? Patrick disait qu'elle était chez lui!

— Il mentait! J'en suis persuadé! Jocelyne viendra! À dix-neuf heures!

— C'était Patrick qui hurlait chaque jour comme un loup?

— Oui. C'était le signal d'attendre encore une journée avant de traverser la frontière. Bon, maintenant c'est à vous de parler... À moins que vous ne préfériez une balle dans la rotule?

— Moi, je ne sentirais rien! a crâné Olivier.

Je l'ai trouvé hyper courageux!

— Où sont les bijoux? a hurlé Smith.

— Un peu partout! ai-je crié. Dans chaque recoin de l'auberge! Vous n'aurez pas le temps de les retrouver tous!

— Ce serait préférable, sinon je fais éclater le bras gauche d'Olivier. Dépêchez-vous de ramasser les bijoux! Jocelyne va arriver d'une minute à l'autre. Allez! Plus vite que ça!

Il a appuyé le canon du revolver sur le coude d'Olivier.

On a évidemment sorti les bijoux de leur cachette. Smith souriait chaque fois qu'on en déposait un dans la valise.

— Vous voyez que vous pouvez m'aider, ironisait-il.

Je serrais les dents de rage. Puis j'ai poussé la porte de la cuisine en sifflant l'air préféré de Stéphanie. Elle a tout de suite compris et m'a suivie. Et on a fait une dernière tentative:

— Le collier d'émeraudes est coincé derrière le réfrigérateur, ai-je annoncé quelques secondes plus tard à Georges Smith.

Pendant ce temps, Stephy jetait une bague enfarinée dans la valise pour que Smith sache qu'on avait vraiment caché des bijoux dans la cuisine. Et qu'il y

Le vol du siècle

vienne.

Il a poussé le fauteuil d'Olivier devant lui et tout en le menaçant de son arme, il a tenté de voir où était coincé le collier. Il devait vraiment se pencher en arrière. Durant ces quelques secondes où il a détourné le regard, Stéphanie et moi avons plongé nos mains dans un sac de farine. On en a jeté des poignées sur Smith tout en projetant Olivier le plus loin possible.

La farine n'est pas aussi efficace que le poivre, mais ça l'a fait suffisamment tousser pour qu'on puisse le désarmer. Le revolver est tombé sur le plancher avec un bruit clair et je me suis jetée dessus. Je l'ai trouvé très lourd quand je l'ai soulevé avant d'aller le porter à Olivier qui se tenait devant la cheminée.

Stephy et moi avons pris les cordes qui avaient servi à nous ligoter et on a attaché la poignée de la porte de la cuisine à un pied de la table de céramique. La table pèse très lourd, ça prend quatre personnes pour la déplacer... Smith était prisonnier dans la cuisine!

— S'il sort par les fenêtres?

— Rentrons vite ses skis! Sans skis, il ne pourra pas aller bien loin! Ils sont devant la porte d'entrée.

— De plus, la valise est ici! Il ne partira pas sans elle!

Au moment où on s'apprêtait à sortir, on a entendu un vacarme épouvantable: c'était les pales d'un hélicoptère. Tout s'est déroulé ensuite très vite: Jocelyne s'est jetée sur nous en pleurant et en riant tout à la fois, tandis que les policiers passaient des menottes à Georges Smith et appelaient une ambulance pour Patrick.

On a fini par nous expliquer!

Jocelyne était une agente secrète! Elle surveillait Georges Smith depuis des mois et avait fait semblant de s'amouracher de lui pour réussir à le coincer.

Elle savait qu'il n'avait pas seulement le vol d'une bijouterie sur la conscience: c'était un gangster recherché dans plusieurs pays. Elle espérait qu'il la mène à sa cachette de l'autre côté de la frontière. Il lui fallait le maximum de preuves pour le faire condamner.

— Je ne me pardonnerai jamais de vous avoir fait courir un tel danger! Mais j'ai rejoint Patrick chez lui après le faux téléphone de l'hôpital. De là, j'ai appelé Georges Smith pour lui donner rendez-vous à dix-neuf heures, alors Patrick est devenu fou!

Comme Stephy paraissait surprise, Jocelyne a poursuivi son récit:

— Il disait qu'il m'aimait et que je ne rejoindrais jamais Smith! Qu'il avait été notre complice à Georges et à moi pour me séduire, m'impressionner. Il croyait que j'étais aussi une professionnelle du cambriolage!

— Toi?

— Oui... Et je devais pourtant m'approcher du chalet pour tout surveiller, mais en réalité pour vous protéger jusqu'à dix-neuf heures. J'ai tenté de raisonner Patrick, mais il s'est énervé et a déclaré que je ne quitterais pas son chalet. Et il m'a assommée! Quelle histoire!

Quelle histoire, oui, mais qui finissait très bien!

Le bijoutier était si content de récupérer ses biens qu'il a donné cent dollars à chacun de nous! Olivier a acheté un jeu vidéo. Mais avant, il a choisi un zèbre musical pour son petit frère. Hugo est né deux semaines après notre aventure: il paraît qu'il a l'air punk! Olivier est ravi. Mon oncle et ma tante aussi, évidemment.

Et Stéphanie donc! Mais elle, c'est parce qu'elle va s'acheter un chandail et des collants de laine rose fuchsia.

— Cat! m'a-t-elle dit, penses-tu que Mathieu va trouver ça beau?

Chère Stéphanie!

Chrystine Brouillet

LES PIRATES

Illustrations
de Philippe Brochard

Chapitre I
Le départ

J'étais tellement en colère contre Stéphanie que je l'aurais étranglée si elle n'avait pas été malade. Il n'y a qu'elle pour attraper la picote en plein été! Deux jours avant de partir pour la colonie de vacances de l'île aux Loups.

Je devrai me débrouiller toute seule.

— Ça pourrait être pire, Catherine, a dit papa, toi aussi, tu pourrais avoir attrapé la picote et être couverte de boutons roses.

Ouache! C'est écoeurant. Je n'en ai pas parlé à Stephy, bien sûr, mais ce n'est pas le moment qu'elle rencontre Jean-Sébastien Turcotte, son nouvel amoureux. Turcotte rime avec picote, mais je ne crois pas que ça ferait rire Stéphanie.

Stéphanie et moi avons choisi l'île aux Loups, car il s'y donne des ateliers de botanique, d'entomologie et d'astronomie. Tout ce qui me passionne! Sur le dépliant de la colonie de vacances, on voit un énorme télescope. Je serai fière de montrer que je sais l'utiliser.

Mais il y a surtout cette épave d'un galion espagnol coulé voilà deux ou trois cents ans... qu'on peut voir non loin de notre île.

Papa est venu me conduire à la gare d'autobus où plusieurs véhicules attendaient mes futurs camarades de vacances.

Tandis qu'il repartait après m'avoir embrassée, j'ai senti qu'on me dévisageait. C'était un garçon, un garçon très ordinaire d'ailleurs. Mais je suppose que Stephy aurait trouvé qu'il avait de beaux yeux. Moi, ça m'ennuie qu'on me fixe; je suis donc montée dans l'autobus. Il m'a suivie! Imaginez-vous ça? Il s'est assis sur le siège voisin du mien.

Il m'a souri:

— Salut, je m'appelle Julien Martineau. Toi?

— Catherine Marcoux.

Il m'a regardée; je ne souriais pas.

— Tu t'ennuies de tes parents peut-être?

J'ai haussé les épaules:

— Je ne suis pas un bébé! Et ça fait

longtemps que je ne m'ennuie plus de ma mère. Elle vit en Californie.

Je mentais un peu, je m'ennuyais toujours de maman, mais je ne voulais pas qu'il croie que j'allais me mettre à gémir comme les petits qu'on entendait au fond de l'autobus.

— Je suis déjà allé en Californie, a fait Julien.

— Ah!

— J'ai beaucoup voyagé. Mon père est ambassadeur.

— Ah!

— C'est génial d'avoir un père ambassadeur: on change sans arrêt de pays.

— Moi, ai-je dit, je détesterais ça, déménager sans cesse. J'aime trop mes amis. Mais, bien entendu, pour s'ennuyer de ses amis, il faut en avoir…

— Hé! Es-tu toujours aussi bête? Je ne pense pas que tu vas te faire beaucoup d'amis pendant les vacances, si tu continues comme ça.

— Je ne t'ai rien demandé.

Je me suis levée et j'ai farfouillé dans le filet au-dessus de nos têtes pour trouver le livre que j'avais acheté la veille. J'étais un peu énervée: j'ai échappé mon bouquin neuf et Julien l'a reçu dans l'oeil. Juré, je ne l'ai pas fait exprès!

— Excuse-moi, ai-je fini par dire.

En se frottant l'oeil, il a marmonné que j'étais non seulement bête, mais dangereuse. Quel bon début de vacances! Tout en me rendant mon livre, il a regardé le titre: *La flibuste*.

— Hé! J'ai lu ce livre l'an dernier. C'est très bon. Tu t'intéresses aux pirates?

— Un peu.

— Tu as choisi l'île aux Loups pour ça. Pas vrai?

— Oui, ai-je admis. J'avais envie de

voir l'épave de Luis-le-Terrible.

J'imagine que je n'étais pas la seule à avoir choisi la colonie de vacances de l'île aux Loups pour cette raison. C'était très excitant de savoir qu'on allait visiter l'épave d'un célèbre flibustier. Luis-le-Terrible avait coulé des quantités de navires et entassé un trésor fabuleux avant d'être victime à son tour d'un abordage. Le Borgne Rouge l'avait vaincu et avait sabordé son galion.

Dans le document sur la région de l'île aux Loups, on nous expliquait que le Borgne Rouge avait poursuivi Luis-le-Terrible à partir de l'Espagne. Et qu'il l'avait enfin atteint sur la côte est des États-Unis.

Évidemment, des centaines de personnes avaient plongé dans les eaux où avait sombré le galion, espérant trouver encore quelques pièces d'or ou des pierres précieuses. Mais il n'y restait plus rien depuis longtemps. C'était seulement une attraction touristique près de la colonie de vacances.

La seule personne qui gagnait de l'argent avec l'épave était monsieur Alphonse, le passeur. Il conduisait les touristes

d'une île à l'autre ou leur louait des chaloupes, des canots ou des équipements de plongée... Il y avait encore des gens assez naïfs pour croire qu'ils dénicheraient le fameux trésor!

— J'ai déjà vu une épave à Saragosse, en Espagne, a fait Julien. J'ai hâte de la comparer avec celle de l'île aux Loups. Mais ici, c'est surtout l'emplacement qui m'intéresse. Je suis passionné d'astronomie! À la colonie de vacances, il y a une sorte d'observatoire. J'espère qu'on verra la nébuleuse América.

— Et la constellation de la Flèche. Et...

Un moniteur m'a interrompue pour faire un petit discours de bienvenue. Il nous a promis qu'on s'amuserait comme des fous. Je me suis penchée malgré moi vers Julien:

— Je me demande bien pourquoi on dit «s'amuser comme des fous»: je ne pense pas qu'on rigole beaucoup dans un asile!

Julien a trouvé ma remarque très juste. J'ai rougi un peu, mais c'était à cause de la chaleur. On étouffait dans cet autobus! Vivement qu'on démarre et qu'il y ait un peu de vent.

Chapitre II
L'arrivée

Pierre Legrand, un moniteur (qui n'est pas grand du tout) nous a distribué une feuille où figuraient tous les renseignements pratiques concernant la colonie de vacances. Il y avait aussi un plan sur lequel on voyait le nom de tous les chalets. J'étais dans celui des Hérons.

On a roulé pendant trois heures avant de s'arrêter pour pique-niquer. Il était temps, je crevais de faim! On a distribué à chacun d'entre nous une petite boîte contenant un petit sandwich, une petite carotte, une petite pomme, un petit gâteau et une petite bouteille de jus d'orange.

— J'espère qu'on va manger un peu plus à l'île aux Loups, a fait une fille à côté de moi.

— J'espère aussi!

— J'ai du chocolat, si tu en veux.

— Merci. Je m'appelle Catherine, mais tout le monde dit Cat.

— Moi, c'est Juliette, mais on me surnomme Jujube, parce que j'adore cette friandise. J'en mange sans arrêt! Souhaitons qu'il y en ait à la cantine. Je l'ai repérée sur le plan: elle est tout près de mon chalet, celui des Hérons.

— C'est aussi mon chalet; on va être ensemble!

— Super! D'habitude, je viens toujours avec ma copine Yolande, mais elle est en Espagne avec sa marraine, cette année!

— En Espagne? a fait Julien. C'est très beau, l'Espagne…

— Oui, on le sait, tu es déjà allé, ai-je dit.

Jujube m'a regardée d'un drôle d'air:

— Vous vous connaissez, tous les deux?

— Non!

Elle a alors souri très gentiment à Julien:

— Tu vas trouver l'île aux Loups bien calme si tu as voyagé en Europe… Regardez, Yoyo m'a même déjà envoyé une lettre.

Jujube a extirpé de son sac une carte qui représentait une scène d'Espagne.

— Où étais-tu l'an dernier? a-t-elle demandé à Julien.

— Je me suis baladé un peu partout, mais j'ai préféré Madrid.

— Es-tu certain d'être allé? ai-je questionné.

Julien a paru surpris:

— Oui. Pourquoi?

— Parce que tu m'as dit que tu avais vu une épave à Saragosse. C'est en plein milieu de l'Espagne. Pas sur le bord de la mer. Ton épave était une épave volante? Qui s'est posée à Saragosse par enchantement?

Julien a blêmi et nous a tourné le dos aussi sec.

— Je déteste les menteurs, ai-je ajouté.

— Il s'est trompé de ville, voyons! Quand on voit des tas d'endroits en même temps, on ne sait plus où on est. Il a l'air gentil. Et il a de beaux yeux. Tu ne trouves pas?

Je n'ai pas eu à répondre, un moniteur sifflait. On devait rembarquer dans l'autobus. Pour deux heures encore. Inutile de préciser que nous étions tous très contents d'arriver à l'île aux Loups. Il y avait d'immenses chaloupes pour nous emmener jusqu'à l'île, c'était très chouette. Je me suis assise à côté de Jujube qui, elle, a fait signe à Julien de nous rejoindre. Qu'est-ce que je pouvais faire?

— La nuit est claire, a dit Julien. J'espère qu'on va aller dès ce soir à l'observatoire.

— Moi, je fais toujours un voeu quand je vois une étoile filante, a déclaré Jujube.

Moi aussi, mais je ne l'ai pas avoué: je n'aurais pas voulu qu'on s'imagine que j'étais superstitieuse.

Nous avancions vite et nous voyions maintenant très bien notre île. Tous les bâtiments étaient peints de couleurs vives. Ça donnait une impression de gaieté à la colonie de vacances. Il y avait, au débarcadère, trois loups en bois si bien sculptés qu'on aurait cru qu'ils allaient se mettre à hurler.

C'est plutôt un hululement qu'on a entendu et Jujube a aussitôt attrapé Julien par le bras. Comme elle était peureuse!

— Il y a de vrais loups? a-t-elle bredouillé.

— Ce n'est pas un hurlement, mais un hululement de chouette, a dit Julien. Il n'y a plus de loups sur l'île depuis que

les contrebandiers l'ont quittée.

— Ils y habitaient avec les loups?

— Oui, durant les années de la prohibition, quand il était défendu de vendre de l'alcool. Pour protéger leurs réserves de rhum, les bandits avaient dressé des loups à tuer. On avait même fini par surnommer les contrebandiers «les Frères des Loups».

— Chut! ai-je murmuré. Le directeur fait l'appel.

Après nous avoir désigné nos chalets, le directeur a dit:

— Vous avez une heure pour installer vos affaires, puis tout le monde se retrouve à la cantine. On vous a préparé un fameux repas!

Jujube a soupiré d'aise: je pense qu'elle est encore plus gourmande que moi.

— Et ce soir, il y a un giga-feu de camp pour fêter votre arrivée, a ajouté Marie-Josée Dumont.

Marie-Josée, c'était la responsable de notre chalet. Une grande blonde au grand nez et à la bouche cerise qui riait tout le temps. Elle accolait le mot giga — abréviation de gigantesque — à tout ce qu'elle disait. Elle nous a d'ailleurs suggéré d'aller nous changer en giga-vitesse dans notre giga-chalet. On l'a vite surnommée Marie-Giga.

On a rangé nos vêtements, puis on s'est réunis autour d'un feu de camp, sous un ciel constellé d'étoiles. Julien a demandé à Pierre Legrand de nous conduire à l'observatoire, mais ce dernier a refusé.

Il prétendait que nous étions trop fatigués. Je suis heureuse que ce ne soit pas le moniteur de notre chalet: il a peur de tout. Il passait son temps à nous dire de ne pas trop nous approcher du feu. On n'est pas des bébés, tout de même! On est habitués depuis longtemps à faire griller de la guimauve!

Avant de m'endormir, j'ai entendu encore une fois un hululement. Et Jujube qui commençait à ronfler…

***

J'ai rêvé à Julien! Quelle drôle d'idée! Il était habillé en matador, mais il s'opposait aux autres toreros qui voulaient pourfendre le taureau. Je lui jetais des nénuphars pour l'encourager.

Si j'ai fait ce rêve, c'est sûrement parce qu'on a parlé de l'Espagne et que j'ai aperçu des nénuphars en embarquant dans la chaloupe hier. Je l'ai raconté à Jujube qui s'est moquée de moi:

— C'est un rêve ridicule! Moi, j'aurais lancé des roses! Et j'aurais porté une robe à volants!

— Pour l'instant, ai-je marmonné, on ferait mieux de s'habiller, car on va être en retard pour l'appel!

Ouf! On est pourtant arrivées à temps pour entendre le clairon indiquant le lever du drapeau. Pierre Legrand et une autre monitrice nous ont expliqué le programme de la journée.

D'abord, la baignade (c'était bien la peine de s'habiller!), puis le petit déjeuner, puis les cours d'équitation, de tir à l'arc, de judo, de yoga, d'entomologie, de céramique, de dessin et d'astronomie. Et les jeux de ballon, l'hébertisme et le théâtre. Je ne risquais pas de m'ennuyer!

J'ai plaint Stéphanie d'être couchée devant la télévision; c'est bien d'être malade durant l'année scolaire, mais pas durant les vacances!

Marie-Giga a sifflé pour nous entraîner vers la baie. Brrr! L'eau était plutôt froide, mais j'ai quand même nagé jusqu'à un gros rocher. En grimpant dessus, j'ai pu voir Julien qui restait en retrait sur la rive, à jouer avec le chien de la colonie de vacances.

Je suis revenue vers la grève et après m'être séchée, je l'ai taquiné:

— Alors? On manque de courage? L'eau n'est pas assez chaude pour celui qui est habitué à la Méditerranée?

— Non, mais j'aime bien Rex. Avant, j'avais un chien qui lui ressemblait beaucoup. Il s'est fait écraser au printemps.

J'ai toussé, mal à l'aise, et j'ai changé de sujet:

— Quelle activité as-tu choisie après le repas? Moi, je ferai du tir à l'arc, ai-je dit.

— Moi, j'ai choisi le tir à la carabine. Je connais les armes à feu, car mon grand-père était colonel dans l'armée.

— Je pensais que tu opterais pour l'astronomie.

— Le moniteur va donner un cours général, ce n'est donc pas la peine d'y aller ce matin. C'est l'observation qui m'intéresse.

Ça, je m'en étais aperçue: Julien passait son temps à me regarder! Comme il portait des lunettes, j'avais l'impression d'être examinée au microscope. D'ailleurs, il était encore en train de me fixer; je l'ai planté là.

En me dirigeant vers le chalet, je me demandais pourquoi Julien me regardait sans arrêt.

— Hé! À quoi penses-tu? m'a demandé Jujube. Au beau Julien?

— Quoi! Qui? Tu es stupide! Je le trouve très énervant!

— Mais tu es toujours en train de lui parler!

— C'est lui qui me parle. Pas moi.

Marie-Giga est entrée dans le chalet à ce moment:

— On se dispute? Allez! Souriez et venez plutôt manger! Les muffins aux cerises sont giga-bons!

Elle avait raison. J'étais en train d'en

manger un troisième quand Jujube a brandi son appareil photo:

— Viens, je vais te photographier avec Julien!

— Mais pourquoi?

Jujube s'est impatientée:

— Mais pour envoyer des photos à Yolande en Espagne!

Julien a enlevé ses lunettes lorsque Jujube a pris ses photos. Il a les yeux aiguemarine. Stephy adore cette couleur; ça me ferait quelque chose à lui écrire!

On s'est enfin dirigés vers nos ateliers respectifs. J'ai découvert qu'en faisant un peu d'exercices, je me débrouillerais bien avec un arc et des flèches. J'en ai parlé à Jujube.

— Je ne peux pas en dire autant! a-t-elle gémi. Je suis vraiment mauvaise au tir à la carabine. Mais il y a pire que moi!

Elle a pouffé de rire avant de m'expliquer que Julien n'avait vraiment aucun talent.

— Pourtant, il m'a dit qu'il connaissait très bien les armes à feu! C'est un menteur!

Jujube a soupiré:

— Tu ne comprends donc rien?

— Comprendre quoi?
— Julien est amoureux de toi!
Je me suis étouffée: Jujube délirait!
— Me… tu… te trompes! ai-je lancé avant de pivoter sur mes talons.
Julien? Amoureux de moi? Ça n'avait aucun bon sens!

Chapitre III
L'épave

Chère Stephy!

Je suis complètement découragée.

Il y a ici un garçon qui est amoureux de moi!

J'ai déchiré ce début de lettre. C'était la quatrième fois que je recommençais. Mais j'avais l'impression d'être tellement ridicule! Finalement, j'ai choisi d'être simple:

Chère Stephy,

Il fait très beau ici. Et je me suis fait une amie: Jujube (c'est un surnom). Elle est gentille, mais elle prétend que Julien (c'est un garçon de la colonie de vacances) est amoureux de moi. Ce n'est pas parce qu'il a des yeux bleu foncé que je vais l'aimer.

De toute manière, c'est un menteur qui n'arrête pas de se vanter. Et il m'énerve beaucoup.

Je suis excellente au tir à l'arc. Julien, lui, est très mauvais à la carabine. J'espère que tu vas mieux et que tu n'as plus de boutons.
À bientôt,
Ton amie Cat

Quand j'ai terminé ma lettre, il faisait noir. Pierre Legrand attendait près du feu de camp ceux qui voulaient aller observer les étoiles. Il nous a fait un millier de recommandations. Il avait peur qu'on se perde en forêt ou quoi?

On a marché environ trente minutes avant de grimper sur le promontoire où se trouvaient l'observatoire et un super télescope.

C'était splendide: on pouvait voir la Grande Ourse, la Petite et le Chariot. Et aussi, selon Julien, les constellations du Cygne, de la Lyre, les étoiles doubles d'Albiréo et surtout, l'amas d'Hercule. Je dois admettre que Julien est très calé en astronomie. Il est même meilleur que moi...

Alors qu'on rentrait, il m'a demandé:

— Tu n'as rien remarqué de bizarre, Catherine?

— De bizarre?

— Il me semble que j'ai vu un canot longer l'épave.

— En pleine nuit? Tu inventes n'importe quoi.

Julien a soupiré:

— Non! Il y avait des gens! Je suis prêt à le jurer!

— Tu rêves! Les histoires de corsaires, c'est bien fini! Henry Morgan est mort depuis longtemps!

— Henry Morgan n'était pas un corsaire, mais un pirate! Ou plutôt un flibustier, puisqu'il écumait la mer des Caraïbes. Et je te prouverai que j'ai raison! a décrété Julien avant de courir vers le feu de camp.

Raison? Raison de quoi?

Dans mon livre, on racontait effectivement qu'Henry Morgan était un flibustier: il n'avait pas reçu de lettre du roi l'autorisant à piller les navires. Ça ne l'a pas empêché de semer la terreur jusqu'à Panama...

Le lendemain, on est justement allés visiter l'épave.

Visiter est un grand mot: Pierre Legrand ne voulait pas que personne plonge aux alentours. Il craignait qu'un morceau de l'épave ne s'effondre et nous blesse. On a simplement tourné autour en chaloupe. On ne voyait rien!

C'était bien peu! D'autant plus qu'au moment où on arrivait, deux ou trois adultes repartaient dans le sens opposé.

J'étais déçue:

— Mais le dépliant de la colonie de vacances disait qu'on pouvait marcher sur le pont! Les autres nageurs sont partis; on ne les dérangera pas! Si monsieur Alphonse, qui guide les touristes depuis des années, les a amenés, c'est qu'il n'y a pas de danger!

— Je voulais voir la grande vergue! Et la hune! a ajouté Julien. Ce n'est pas juste! Tout le monde a le droit d'y aller, sauf nous!

— Ces gens qui viennent de partir sont des adultes. Et je n'en suis pas responsable. Il y a eu un accident très grave au début de l'été: un campeur s'est coincé la jambe dans l'épave et a failli se noyer. Je n'ai pas envie que ça se reproduise.

— Mais il n'est pas mort, non? Si un de nous est en péril, on va s'en rendre compte tout de suite!

Les pirates

Pierre Legrand a secoué la tête:

— Non, c'est non. De toute manière, ce n'est que du bois pourri. Allons plutôt ramasser des bleuets à l'île aux Fruits.

On lui a obéi, mais j'ai dit à Julien que je n'irais plus aux séances d'astronomie de Legrand.

— Moi non plus, a fait Julien. Je vais plutôt attendre que tout le monde soit couché pour en profiter tout seul.

— Tu irais à l'observatoire en pleine nuit?

Julien a hoché la tête:

— Tu ne me crois pas?

— Non.

— Tu verras. Va ce soir à l'observatoire et laisses-y un vêtement: je te le rapporterai demain matin.

J'ai fait une moue d'incrédulité; aurait-il vraiment le courage de s'enfoncer seul en pleine forêt dans une totale obscurité?

Je lui ai dit que je laisserais mon chandail rouge sur un des bancs de l'observatoire.

Julien m'a souri avec assurance.

Jujube est alors venue vers nous avec son appareil photo:

— Cat, veux-tu me photographier devant l'épave avec Julien? C'est pour Yolande.

J'ai pris son appareil tandis que Jujube, elle, prenait Julien par le cou. Il continuait à sourire. Je crois que j'ai raté la photo et que j'ai coupé leurs têtes, mais je ne m'en suis pas vantée, car Pierre Legrand nous a interpellés, furieux:

— Venez! Vous êtes toujours à traîner derrière! On vous attend pour embarquer dans les chaloupes.

Vraiment, il était bien énervé! On n'avait pas l'impression d'être en vacances, mais à l'armée!

Jujube a continué à prendre des photos, puis elle a prêté son appareil à Julien qui voulait photographier une vieille souche couverte de champignons.

— Tu sais, Julien, tu peux faire toutes les photos que tu veux, a dit Jujube, j'ai aussi un flash au chalet.

— Ton appareil fonctionne donc la nuit?

— Ça devrait... Je ne sais pas trop. Papa m'a donné cet appareil juste avant mon départ pour l'île aux Loups.

Julien l'a remerciée en lui donnant toute sa récolte de bleuets. Je m'en fous, j'avais assez des miens! D'ailleurs, c'est bien tant pis pour Jujube, car elle en a trop mangé et elle a été malade. Elle n'est pas venue danser autour du feu et elle ne nous a pas accompagnés à l'observatoire non plus. J'ai failli ne pas y aller, mais Julien aurait été trop soulagé que je ne relève pas son défi.

J'y ai donc laissé mon chandail rouge.

Chapitre IV
Un trésor au fond de l'eau

Et Julien m'a rapporté mon chandail le lendemain matin, juste avant le lever du drapeau…

— Ce n'est pas tout, a indiqué Julien. J'en ai profité pour faire des photos au flash avec l'appareil de Jujube. Et j'ai encore vu des gens se rendre à l'épave cette nuit. J'ai eu tout le temps de les observer avec le télescope. Ils étaient deux. Un plongeait et revenait ensuite vers la chaloupe, au milieu de la baie, puis repartait. Je n'ai pas entendu ce qui se disait, mais c'étaient des voix d'hommes.

— Tu me jures que c'est vrai?

— J'ai pris des photos! Je me suis approché du mieux que j'ai pu de la grève après avoir quitté l'observatoire. Crois-tu que ces hommes ont découvert le trésor de l'épave?

— Pour quelle autre raison iraient-ils rôder autour de l'épave en pleine nuit?

— Pourtant, l'épave a été visitée des centaines de fois par des milliers de plongeurs et personne n'a jamais rien trouvé.

— Tu te souviens de ce que Pierre

Legrand a dit? Qu'un touriste s'était coincé une jambe... Peut-être qu'en le dégageant, on a déplacé un mât... Non! Plutôt le gouvernail!

— Le gouvernail?

— J'ai lu qu'un pirate cachait toujours son trésor à l'intérieur du gouvernail. Les mouvements des sauveteurs ont fait bouger l'épave, l'ont peut-être même déséquilibrée, et le trésor est apparu.

Julien avait l'air sceptique:

— Mais pourquoi ne l'a-t-on pas découvert à ce moment-là?

— Tout le monde devait être affolé si le touriste risquait de périr noyé! Il fallait faire très vite! Personne n'aura remarqué qu'un petit coffret...

— Non! Au contraire! Deux touristes l'ont remarqué. Mais ils n'ont rien dit aux autres pour ne pas partager le trésor. Ils se sont tus et ils ont décidé de revenir plus tard.

— Alors pourquoi doivent-ils faire plusieurs voyages? ai-je objecté. Si le butin du pirate était fabuleux, avec des chandeliers en or et des grandes croix serties de pierres précieuses, les touristes l'auraient vu au moment de l'accident!

— Mais comme ils n'ont rien vu, murmura Julien, c'est certainement un petit trésor.

— Dans ce cas, un seul voyage aurait suffi pour ramener le coffret de pierres précieuses.

— À moins que le coffret ne se soit ouvert... Et que les pierres ne soient éparpillées dans l'épave! Ou au fond de l'eau!

Julien s'est penché vers moi en chuchotant:

— Ils devront multiplier les expéditions nocturnes s'ils veulent tout récupérer. Et ce n'est pas sûr qu'ils y arriveront. Fouiller au fond de la baie! Tu te rends compte! On pourrait y aller, nous aussi! Tenter notre chance! Si on trouve des diamants, je pourrais m'acheter une caméra vidéo et...

J'ai fait signe à Julien de se taire:

— Moi, je me rends compte surtout que Pierre Legrand n'a pas voulu qu'on visite l'épave.

Julien m'a dévisagée avec stupeur:

— Alors, ce serait lui qui aurait découvert le trésor?

Puis il a claqué des doigts:

— C'est incroyable! Je viens de me

souvenir qu'il y a un flibustier qui s'appelait Pierre Le Grand.

— Quoi?

— C'est écrit dans ton livre, à la fin: ce pirate se trouvait aux Caraïbes en 1635. Il a attaqué un galion espagnol. Il a peut-être rencontré le Borgne Rouge. Et Luis-le-Terrible.

— Tu crois que c'est l'ancêtre de notre moniteur? Il aurait entendu parler du trésor par ses aïeuls? Tout se tient! Il se fait engager comme moniteur pour empêcher les campeurs de visiter l'épave. Et, durant la nuit, avec un complice, il tente de dénicher le trésor!

— Qu'ils doivent cacher ensuite; ce ne sont pas les endroits qui manquent… L'île aux Fruits, l'île aux Castors ou même ici.

— Non, pas sur l'île aux Loups. Il y aura une course au trésor après-demain; on va fouiller partout pour trouver le trophée. Ce serait trop risqué qu'un de nous ou même qu'un moniteur mette la main sur le vrai trésor! Il est caché sur une autre île.

— Il faudrait y aller pour voir s'il y a des traces de pas, des indices qui prouvent que nos suspects y étaient cette nuit!

J'ai espéré alors qu'ils n'aient pas vu Julien. Sinon, il était en danger: Pierre Legrand voudrait se débarrasser de lui!

— On devrait en parler à Marie-Giga!

— Et si elle était la complice de Legrand? On n'a pas de preuves de sa culpabilité à lui, encore moins à elle. Mais tout est possible.

Tandis que Julien parlait, j'essayais de réfléchir. Dans toute cette histoire, il y avait un détail qui ne collait pas. Mais je ne parvenais pas à déceler lequel…

Julien continuait à parler:

— Attends qu'on ait développé les photos: peut-être qu'on verra mieux de qui il s'agit. On aura ainsi des preuves. Sinon, personne ne nous croira. On ira à l'atelier de photo tout à l'heure. Il y a une chambre noire.

— Vas-y avec Jujube. Après tout, c'est son appareil. Et elle t'aime beaucoup.

— Moi aussi, je l'aime bien. Elle est gentille.

— C'est long, développer des photos? ai-je demandé.

— Je ne sais pas.

— Moi, je vais aller à l'atelier de tir au fusil.

— J'espère que tu seras meilleure que moi, a fait Julien en souriant.

Puis il a agité les bras pour faire signe à Jujube de nous rejoindre.

— Tu te sens mieux? a dit Julien.

Jujube a fait une petite grimace:

— Un peu. Mais je ne mangerai plus jamais de bleuets! Brrr! Il fait frais ce matin. J'aurais dû mettre un chandail.

— Tiens, prends le mien, a fait Julien. Je n'ai pas froid.

Jujube a fait mine d'hésiter, elle a battu des paupières, puis elle a fini par mettre le pull jaune fluo.

Elle flottait dedans, mais ne semblait pas s'en rendre compte.

On a sonné le lever du drapeau, on a mangé, puis Julien et Jujube sont partis pour l'atelier de photo.

En tout cas, ils ne sont pas aussi bons que moi au tir à la carabine: le moniteur a dit que j'étais très douée.

En sortant du stand de tir, j'ai croisé Marie-Giga. J'en ai profité pour lui demander si on ne pourrait pas visiter l'île aux Castors. Et retourner à l'île aux Fruits.

— Il reste encore des bleuets à la cuisine, si tu en veux.

— Non, c'est pour cueillir des champignons.

— C'est trop dangereux! Si tu t'empoisonnais?

— Je sais différencier une amanite vireuse d'un faux mousseron!

Marie-Giga a secoué la tête:

— Toi oui, mais les autres? Si tous tes camarades décident de t'imiter, l'un d'entre vous souffrira sûrement d'une intoxication alimentaire…

— On pourrait aller quand même à l'île aux Castors?

— Il n'y a rien à voir là, a fait Pierre

Legrand en venant vers nous. Il n'y a que des arbres rongés par des bêtes.

— Il doit y avoir un barrage? Ce serait intéressant!

— Pourquoi pas? a dit Marie-Giga.

— Mais non, on doit préparer le jeu de nuit.

Marie-Giga m'a fait un petit sourire en s'excusant. On irait un autre jour, voilà tout. Je ne pouvais pas lui expliquer que les pistes seraient effacées à ce moment-là... Je devais avoir l'air dépitée quand Julien et Jujube m'ont rejointe pour la partie de volley-ball.

J'ai remarqué que Jujube portait toujours le pull de Julien, même si le soleil tapait maintenant très fort. Elle allait mourir de chaleur... Mais j'avais des choses vraiment plus importantes à l'esprit!

— Alors? Les photos sont bonnes?

— On ne les verra que demain, a déclaré Julien. Il faut qu'elles sèchent.

— Ça ne prend pas une journée! me suis-je exclamée.

Jujube nous a regardés d'un air bizarre:

— Pourquoi êtes-vous si pressés de voir ces photos?

Julien a répondu immédiatement:

— Parce que j'ai fait un pari avec Cat: elle prétend que les photos que j'ai prises vont être ratées. J'ai hâte de lui prouver le contraire.

Je n'ai rien ajouté, mais j'étais contente que Julien n'ait pas parlé de sa découverte nocturne à Jujube. Comme il l'a dit, elle est bien gentille, mais très bébé. C'est normal, on a huit mois et demi de différence.

Jujube tripotait son appareil photo. Elle l'avait repris après le match (qu'on a perdu):

— Je suis certaine, Julien, que tes photos vont être belles. Je vais en envoyer à Yolande en Espagne. Si tu nous racontais ton voyage là-bas?

Décidément, elle faisait l'intéressante... Pour une fois, j'étais contente que Pierre Legrand nous ramène à l'ordre:

— Encore à traîner! On vous attend pour une revanche au water-polo. Il faut vaincre le chalet des Ours!

Tout en parlant, le moniteur ne cessait de regarder Jujube et il a fini par lui demander si elle se sentait mieux. Si elle avait bien dormi la veille.

— Ah… Plus ou moins. Mais ça va bien maintenant, merci.

— Tu n'es pas obligée de jouer, si tu te sens encore faible.

— Non, non, ça va.

Pierre Legrand lui a tapoté la joue, puis nous a répété qu'il fallait qu'on batte le chalet des Ours.

Chapitre V
Monsieur Alphonse

Si Pierre Legrand avait pu deviner! Nous avions des préoccupations plus graves qu'une partie de ballon! Je ne me suis même pas rendu compte que l'eau était froide! Et je n'ai même pas savouré notre victoire.

Je pensais sans cesse aux plongeurs que Julien avait vus lors de son expédition nocturne.

Lui aussi y songeait. Avant le repas, il est venu vers moi:

— Imagine le bruit que toute la bande de la colonie de vacances va faire cette nuit! Nos pirates n'iront certainement pas sur la baie ce soir! On pourrait donc visiter l'épave en paix.

J'ai frissonné:

— Tu veux qu'on plonge à la noirceur? Si Pierre Legrand nous disait la vérité? Et si c'était réellement dangereux de rester coincé?

— Cat! Réfléchis! Il y avait des plongeurs quand nous sommes arrivés près de l'épave, hier.

J'ai claqué des doigts:

— Alors, on fait fausse route! Pierre Legrand n'a pas voulu qu'on visite l'épave, mais n'a pas paru gêné que des adultes le fassent. S'il voulait protéger un trésor, il aurait été furieux de voir des plongeurs près de l'épave.

Julien a haussé les épaules:

— Peut-être. Cependant, il ne pouvait pas les engueuler devant nous. Ni les chasser. On doit visiter l'épave pour comprendre toute cette histoire. Et ce soir est le seul moment où on peut y aller sans que nos pilleurs y soient.

— Tu crois que personne ne nous verra partir en chaloupe?

— Non, justement, le jeu de nuit se déroule en forêt. Loin de la baie, pour éviter les accidents. J'ai entendu Marie-Giga le dire à un autre moniteur.

J'ai écouté Julien avec attention et j'ai fini par admettre que son idée était plutôt bonne. Si tout se déroulait comme prévu, on percerait le secret de l'épave avant la fin de la soirée.

— Je te préviens tout de suite que Jujube va essayer de te suivre durant le jeu de nuit, ai-je dit à Julien.

— Jujube? Pourquoi?

— Elle est amoureuse de toi, c'est évident! Tu l'ignorais?

Julien a soupiré:

— Qu'est-ce que je vais faire d'elle?

— À toi de juger. Si elle te plaît…

— Je la trouve seulement gentille, a répondu Julien avant de m'expliquer le plan de l'expédition en détail.

— C'est un très bon plan, ai-je dit, mais on devrait interroger monsieur Alphonse avant notre escapade nocturne.

— Le passeur?

— C'est lui qui est le mieux placé pour remarquer un va-et-vient insolite, non?

— Oui, allons-y maintenant! a lancé Julien.

— Mais on vient de sonner la cloche de la cafétéria pour annoncer le repas!

— Justement, a fait observer Julien, c'est le meilleur moment. Il y a une grande animation, personne ne remarquera notre absence. As-tu très faim?

J'ai secoué la tête négativement, même si j'étais déçue de rater la pizza.

Heureusement, j'ai trouvé quelques framboises sur la route qui menait au chalet de monsieur Alphonse.

Il sirotait un petit verre de cognac dans une chaise berçante, tout en caressant une loutre.

— Elle s'appelle Giroflée. Elle peut jouer durant des heures.

— C'est difficile à apprivoiser, une loutre?

— Mais non, il suffit d'un peu de douceur… Qu'est-ce que vous faites par ici, les enfants? Vous êtes perdus?

— Non, on voulait vous parler de l'épave, a dit Julien.

— De l'épave?

— Oui, ai-je fait. On est venus à l'île aux Loups exprès pour visiter l'épave et notre moniteur nous a à peine permis de nous en approcher. On a pensé que…

— Que je pourrais vous y amener? Hélas non, je ne peux pas prendre cette responsabilité.

— Mais vous avez amené des touristes hier midi.

— Ce n'est pas pareil, a dit monsieur Alphonse avant de vider son verre.

Il avait une expression butée et j'ai

pensé qu'il valait mieux ne pas insister.

— De toute manière, on ne venait pas pour ça. Tout ce qu'on désire, c'est que vous nous parliez de l'épave.

— Oui, a approuvé Julien. Racontez-nous ce que vous savez sur les pirates, le trésor ou les gens célèbres qui sont venus visiter l'épave.

Monsieur Alphonse s'est resservi un verre de cognac. Puis il nous a raconté tout ce qu'il connaissait au sujet du Borgne Rouge, de Luis-le-Terrible, de la route du rhum, des pirates et des contrebandiers qui ont hanté l'île aux Loups durant les années de la prohibition. Il y a très longtemps de cela, je n'étais même pas née!

— C'est vraiment passionnant, a conclu Julien. Bien plus excitant que ce qui s'y passe aujourd'hui.

— Tu as raison, mon garçon, a marmonné monsieur Alphonse. Les touristes qui viennent ici ne s'intéressent qu'à l'argent; ils rêvent tous de découvrir le trésor et de s'en emparer.

— Ah oui? ai-je demandé en mimant la surprise. Mais s'il y avait vraiment un trésor, quelqu'un l'aurait trouvé depuis longtemps.

— Évidemment, a fait monsieur Alphonse. Mais il y a des types qui auraient dynamité l'épave s'ils n'avaient craint de pulvériser le trésor. C'est un trésor fantôme: il n'y en a pas. Ça fait dix ans que je suis passeur, j'ai plongé moi-même des centaines de fois… je l'aurais découvert.

— J'imagine qu'il y a des gens qui vous ont offert de vous payer pour pouvoir s'approcher de l'épave durant la nuit. J'ai entendu dire qu'il y a des personnes qui collectionnent les morceaux d'épaves. Ils aimeraient sûrement rapporter un morceau du galion chez eux…

— Je n'ai jamais accepté qu'on mutile l'épave!

— Mais peut-être que ces gens peuvent se rendre à l'épave durant la nuit, sans que vous vous en aperceviez?

— Je les entendrais, voyons! Et je les recevrais avec ma carabine! Elle n'est jamais bien loin de moi. Toujours sous mon lit, prête à servir!

Il s'est levé, est entré dans son chalet de pêche. Il en est ressorti avec l'arme à feu. Je n'aimais pas qu'il se balade avec ça, car je trouvais que sa démarche n'était pas très assurée. Je crois qu'il avait un peu trop bu.

Julien a admiré la carabine, puis il a serré la main de monsieur Alphonse:

— Merci beaucoup. C'était super! On doit maintenant rentrer, sinon notre moniteur va nous engueuler.

— Qui c'est, votre moniteur?

— C'est Pierre Legrand.

— Il est gentil. Très gentil. C'est lui qui m'a donné le cognac. Avant, il m'avait apporté une bouteille de rhum. J'aime ça, le rhum.

— Comme les contrebandiers! a noté Julien.

— Il n'y a pas de contrebande ici! a vociféré monsieur Alphonse.

— Je n'ai jamais dit ça, a fait aussitôt Julien. Je faisais allusion à la fameuse route du rhum dont vous nous avez parlé tout à l'heure. Vous vous en souvenez? Durant les années de la prohibition.

— Une bien mauvaise époque: les gens n'avaient pas le droit de boire de l'alcool! Ce n'est pas comme aujourd'hui. Ah oui! Pierre est gentil de me donner du cognac.

J'étais en train de me dire que monsieur Alphonse radotait quand il a ajouté:

— Gentil. Très gentil. Et c'est un savant. Un grand savant!

— Un savant? me suis-je exclamée.

— Chut, c'est un secret. Un grand secret. Un grand secret gentil. Je vais aller me coucher maintenant.

Il s'est endormi aussitôt dans sa chaise, sans avoir eu besoin d'être bercé!

Julien et moi sommes revenus en discutant:

— Si monsieur Alphonse boit autant tous les soirs, il doit dormir comme une bûche et ne rien entendre de la nuit! a conclu Julien. On doit vraiment aller à l'épave!

— J'aurais bien voulu savoir en quoi Pierre Legrand est si savant.

— Ce n'est pas en astronomie, en tout cas.

— Ni en botanique, il ne connaît aucun champignon!

— Alors? En quoi peut-il briller?

— C'est un mystère, un de plus, ai-je soupiré.

Chapitre VI
Un coup de téléphone à Stéphanie

Nous sommes arrivés à temps pour manger, mais finalement je n'avais pas faim. La perspective de notre expédition me nouait l'estomac. J'ai décidé de téléphoner à Stéphanie pour lui demander son avis; j'étais tellement habituée à enquêter avec elle.

Mais comment pénétrer dans le bureau du directeur où se trouvait le téléphone?

Avec la complicité de Julien... Il devait attirer l'attention du directeur et parvenir à le faire sortir de son bureau. Il le retiendrait ensuite assez longtemps à l'extérieur afin que j'aie le temps de consulter Stephy.

— Le problème, ai-je expliqué à Julien, c'est que je ne vois pas sous quel prétexte tu vas pouvoir lui parler...

— Je trouverai bien, ne t'inquiète pas.

Il a quitté la cafétéria cinq minutes avant moi et il s'est rendu au bureau du directeur. Quand je me suis glissée derrière le bâtiment principal, je l'ai vu qui causait avec le directeur. Je me suis aussitôt introduite dans le bureau et j'ai appelé Stephy. Elle paraissait surprise de m'entendre. Je lui ai fait part de nos soupçons concernant le trésor.

— Mais Cat, je ne comprends pas pourquoi tous ces gens se cachent pour pêcher le trésor. Je passe tout mon temps devant la télé et j'ai vu un reportage là-dessus cette semaine. Ce n'est pas interdit de fouiller une épave. Mais il faut donner une partie du butin au gouvernement. Comme le faisaient les corsaires.

— Et si on ne déclare pas le trésor, on le garde en entier!

— Peut-être… Mais pour trouver des pierres précieuses au fond de l'eau, ça prend un équipement sophistiqué, avec un super éclairage. Quelqu'un finira bien par les voir… Comment est Julien?

— Sympathique.

— Juste sympathique? Il est beau?

— Il est blond. Et il a les yeux bleus.

— Chanceuse!

— Pourquoi dis-tu que je suis chanceuse?

Stéphanie a pouffé de rire:

— Voyons, Cat, c'est évident que vous êtes en amour!

— Tu dois avoir encore de la fièvre. Il vaudrait mieux que tu te recouches!

J'ai raccroché très vite. De toute manière, Julien allait bientôt revenir avec le directeur. Je suis ressortie du bureau discrètement. Si discrètement que, tapie derrière la porte, j'ai entendu la fin de leur conversation.

Je me suis sentie très gênée d'avoir si souvent été bête avec Julien. Le directeur lui parlait de sa mère:

— Ça va finir par s'arranger, mon garçon. Tu sais, on guérit des tas de maladies aujourd'hui. Je suis certain qu'à la fin de l'été, elle ira beaucoup mieux. Si ton père n'a pas téléphoné, c'est parce qu'il n'y a pas de changement! C'est une bonne nouvelle. Ça veut dire que l'état de ta mère ne s'est pas aggravé.

— Oui, ça doit être ça. Bon, je vais aller mettre mon chandail pour le jeu de nuit.

— Et une bonne paire de souliers! En forêt, il faut être bien chaussé. Tu le répéteras à tes camarades.

Julien a fait oui, puis il est parti. Je l'ai rattrapé vingt secondes plus tard.

Je ne savais pas si je devais lui dire ce que j'avais entendu. Mais comme je joue très mal la comédie, j'ai préféré la franchise.

— Julien, j'ai écouté la fin de votre entretien. Je ne savais pas que ta mère était malade. Qu'est-ce qu'elle a?

Il est devenu tout rouge et il a serré les dents.

— Julien, ai-je repris, ce n'est pas par curiosité. C'est juste que je ne savais pas. Sinon, j'aurais été plus fine.

— Je n'ai pas envie de faire pitié.

— Tu ne fais pas pitié. Tu es trop courageux et intelligent pour faire pitié. Mais si tu dis que je suis ton amie, tu peux me parler de ta mère... Quand tu en auras envie.

Julien a regardé loin devant lui le soleil qui se couchait sur la baie derrière les îles, puis il m'a confié d'une voix rauque:

— Maman est un peu... bizarre.

— Bizarre?

— Elle a fait des dépressions. Et elle est maintenant dans une maison de repos. Parce que sinon, il faudrait la sur-

veiller tout le temps. Elle a parfois envie de mourir. Tu comprends?

J'ai hoché la tête, je lui ai dit que ça devait quand même l'aider, d'avoir un fils aussi gentil que lui.

— C'est parce que ma mère est malade et que je ne peux pas suivre mon père partout que je passe tout l'été ici. Tu le sais, les ambassadeurs voyagent beaucoup. Mais ce n'est pas toujours drôle pour moi. C'est pour ça que j'arrange un peu la réalité: je raconte les choses à ma façon.

Toi, tu vas repartir dans deux semaines?

— Pas sans toi! lui ai-je répondu très vite.

Julien m'a souri doucement:

— Tu vas rester ici?

— Non, tu vas venir avec moi et Stéphanie au chalet! Mon père va être d'accord, j'en suis certaine!

Je lui ai parlé de la montagne Noire:

— Je te le jure! Tu vas repartir en même temps que moi!

Il m'a fait un clin d'oeil, puis il a regardé sa montre:

— Bon, dépêchons-nous! Les autres doivent se demander ce qu'on fabrique!

Il n'avait pas tort; Jujube nous attendait au pied du mât du drapeau, sur la grande place. Elle boudait, même si elle portait toujours le chandail de Julien.

— Ah! Jujube! On te cherchait! s'est écrié Julien.

Elle a semblé interloquée:

— C'est moi qui vous cherchais! On forme les équipes pour le jeu de nuit. Cat, tu es dans l'équipe cinq et toi, Julien, dans l'équipe trois.

Je n'avais pas besoin de demander à Jujube si elle était aussi dans l'équipe trois; elle avait l'air tellement contente! Moi, je l'étais moins, mais Julien m'a fait un petit signe de tête qui voulait dire que c'était mieux ainsi: on pourrait s'éclipser plus facilement.

***

Facilement? Facile à dire! Il y avait l'espèce de peureux de Michel-Olivier qui ne me quittait pas d'une semelle! C'est bien simple, il marchait dans mes traces de pas! Il avait un petit rire nerveux et répétait:

— Où est le grand méchant loup? Méchant loup, méchant loup?

Un vrai bébé! Pire que Jujube!

J'ai fini par lui piler sur le pied de toutes mes forces en lui criant bouh! dans les oreilles! Ça l'a calmé. Ensuite, il s'est mis à marcher plus près de Josiane qui était toute fière d'ouvrir la marche. Elle se prenait pour une monitrice...

Les autres membres de l'équipe la suivaient sans discuter. Ils semblaient tous intéressés par le jeu de nuit. Le principe était simple: il fallait rapporter l'emblème d'une équipe adverse que les moniteurs avaient caché en forêt. Amusant...

Mais bien moins palpitant que l'expédition projetée avec Julien!

Il m'attendait depuis dix minutes quand j'ai réussi à fausser compagnie à ma troupe. Il m'a tendu une lampe de poche sous-marine.

— Où as-tu déniché ça?

— Chez Jacques, le moniteur de natation. Je me suis souvenu qu'il a dit qu'il faisait parfois de la plongée.

— Et si c'était un de nos suspects?

— Il ne trouvera pas sa lampe ce soir. Mais avant qu'il devine qui la lui a empruntée, on a le temps d'examiner l'épave. Mets ta ceinture de sécurité et poussons doucement la chaloupe. On ramera plus tard, quand on sera un peu plus loin.

La lune était pleine et donnait des reflets argentés aux cheveux de Julien. Ça lui allait très bien. Ses yeux avaient la couleur des vagues, la couleur du ciel, un bleu presque noir, très profond. J'oubliais presque le but de notre expédition lorsque j'ai aperçu le bout du grand mât de l'épave.

— Ça y est. Nous y sommes. Il s'agit maintenant de ne pas traîner.

Comme prévu, nous nous sommes attachés par un long câble aux bancs de la chaloupe pour prévenir un accident. Puis on a plongé. J'étais trop excitée pour sentir la fraîcheur de l'eau!

J'ai sursauté en me cognant le pied contre un bout de bois tout glissant. J'ai pensé à une pieuvre! Je suis remontée aussitôt, puis je suis redescendue en suivant cette fois Julien qui tenait la lampe.

On a plongé plusieurs fois. Au moins douze. Et je commençais à en avoir marre et à croire qu'on ne trouverait rien quand j'ai vu briller quelque chose. J'ai fait signe à Julien. En approchant, on a constaté que c'était un petit bout de plastique qui luisait entre deux planches de bois.

J'allais remonter, furieuse d'avoir trouvé un déchet, mais Julien m'a retenue; il a tiré doucement le plastique et extirpé un sac. D'un coup de palme, on s'est propulsés vers le haut et Julien m'a dit:

— Tu crois qu'on doit ouvrir le sac?

— On rembarque dans la chaloupe et on essaie de l'examiner. Mais sans lampe de poche, sinon on sera repérés!

On a déballé le sac avec mille précautions pour ne pas l'abîmer. À l'intérieur,

il y avait cinq autres petits sacs, tous bien fermés. Il fallait pourtant en ouvrir un pour savoir ce qu'il contenait. On a déchiré un morceau de papier collant: en touchant avec le bout de mon doigt, j'ai deviné que c'était du papier.

— Du papier? Montre!

Julien a élargi le trou que j'avais fait

et on a vu, à la lumière de la lune, que c'était un billet de cent dollars! Cent! Par paquets de cinquante ou de cent ou de mille coupures!

— C'est le trésor! a chuchoté Julien. Qu'est-ce qu'on fait?

— On le ramène à la colonie de vacances! Si on raconte tout au directeur, ça va obliger les suspects à avouer qu'ils ont découvert le trésor les premiers. Ça voudra dire qu'ils voulaient le garder pour eux seulement. Ils devront bien partager avec nous!

— Et avec le gouvernement… On devrait essayer de trouver d'autres sacs.

— Mais puisqu'on reviendra avec le directeur.

— Tu as raison! Et en plus, on gèle!

On a ramé en silence; j'imaginais ce que je pourrais m'offrir avec tout cet argent. D'abord, j'achèterais toutes les cassettes de tous mes chanteurs préférés. Puis un super téléviseur, des lunettes de soleil et une montre tigrée.

On est enfin arrivés au quai. Et j'ai compris que je n'aurais jamais ma télé, mes lunettes et mes cassettes.

— Julien! Les billets de cent dollars!

— Quoi?

— C'est de l'argent volé! Ce n'est pas le butin des pirates! Ces billets sont contemporains. De notre époque! Ils n'ont pas trois cents ans! Le naufrage du Borgne Rouge est censé avoir eu lieu au dix-septième siècle… Et ce n'était pas de l'argent canadien, mais espagnol!

Julien s'est tapé le front de la paume de la main:

— Misère de misère! Tu as raison! Mais qu'est-ce que cet argent fait là? Il faut bien que quelqu'un l'ait caché dans l'épave... En tout cas, si on l'a dissimulé ainsi, c'est qu'on avait de bonnes raisons. C'est sûrement le fruit d'un vol! Ou…

— Ou quoi?

— Si c'était de la fausse monnaie?

— Et qui s'amuserait à pêcher de la fausse monnaie?

— Ceux qui en font le trafic.

Julien a secoué la tête aussitôt:

— Non, je raconte n'importe quoi. Ça ne tient pas debout! Quel intérêt les faux-monnayeurs auraient-ils à cacher l'argent dans une épave? Un vol est plus vraisemblable. Je suppose que les bandits ont commis, il y a quelques mois, un vol à main armée. Ils auront caché leur butin dans l'épave pour éviter de se faire prendre en dépensant trop subitement beaucoup d'argent.

— Si les coupures provenaient d'une banque, les enquêteurs avaient peut-être les numéros de série des billets. En attendant plusieurs mois, nos voleurs ont pensé que la vigilance des policiers se relâcherait. Comme celle des commerçants.

— Des commerçants?

J'ai expliqué à Julien qu'en cas de vol, on doit avertir les commerçants de la ville. On leur demande d'être méfiants:

— On leur donne même peut-être les numéros des billets!

Julien m'a arrêtée en souriant:

— Tu lis trop de romans policiers! Penses-tu que les vendeurs des magasins ont le temps de vérifier les billets de cent dollars qu'on leur remet pour payer des skis ou une veste de cuir?

— Oui, si quelqu'un arrive avec un gros paquet! Ils ont la liste des numéros des billets volés.

— Ça ne leur sert à rien en ce moment, puisque les billets sont au fond de l'eau…

— C'est une excellente cachette!

Mon ami a fait une drôle de tête:

— À condition que personne ne la découvre... Je me pose la question depuis des heures: pourquoi Pierre Legrand n'était-il pas furieux de voir des touristes rôder autour de l'épave?

— Parce qu'ils n'ont rien trouvé; avec ses jumelles, Pierre pouvait voir s'ils avaient des sacs dans leur chaloupe. Ils n'étaient pas très loin de nous.

— Et si on se trompait? Si Pierre Legrand n'était pour rien dans toute cette histoire?

— Quel casse-tête!

Chapitre VII
L'attentat

Tout en cherchant des réponses à nos questions, on a attaché la chaloupe au quai. Puis on a caché le sac de billets sous un tas de roches que la marée ne pouvait atteindre. Et on est revenus. On avait très peur d'être surpris et on sursautait chaque fois qu'une branche craquait!

Mais on est restés figés sur place quand on a entendu un épouvantable cri, suivi de plusieurs autres, puis d'une sorte de rumeur. On s'est mis à courir. Nous n'étions pas les seuls!

C'était l'affolement général dans l'enceinte de la colonie de vacances. On n'osait pas demander ce qui se passait, car on aurait dû être là et le savoir. J'ai fini par repérer Michel-Olivier qui gémissait près du drapeau:

— C'est effroyable! ai-je lancé, en espérant qu'il me commenterait le drame qui venait de se produire.

— Ah oui! Cette pauvre Jujube!

J'ai senti mon coeur qui battait à la vitesse du son!

— Elle n'aurait pas dû rentrer seule! Même si elle avait froid! Les moniteurs nous avaient dit de ne pas nous séparer. D'ailleurs, toi aussi, on t'a perdue!

— Jujube...

— J'espère qu'ils vont la sauver. Mais elle est peut-être restée trop longtemps dans l'eau. Pierre Legrand lui a fait le bouche-à-bouche et un massage cardiaque, mais...

Je suis partie en courant vers l'infirmerie; je me sentais coupable d'avoir tenu Jujube à l'écart de notre expédition nocturne. Si elle était venue avec Julien et moi, elle ne se serait pas noyée! Mais pourquoi donc avait-elle décidé de se baigner si elle avait froid? Et en pleine nuit?

Julien était déjà rendu à l'infirmerie et n'en menait pas large, lui non plus. Les moniteurs essayaient de nous disperser et de nous renvoyer dans nos chalets, mais personne ne voulait aller se coucher sans savoir si Jujube était hors de danger.

— Ah! s'est exclamée Marie-Giga en me voyant. Au moins, toi, tu es saine et

sauve! Où étais-tu passée?

— J'avais perdu une de mes barrettes et je l'ai cherchée, mais mon groupe a continué sans se rendre compte que je ne le suivais plus. Alors, je suis revenue sur mes pas.

Marie-Giga a soupiré longuement:

— Quand j'ai vu Pierre enfoncé jusqu'aux épaules pour repêcher Jujube, j'ai cru que j'allais m'évanouir!

La porte de l'infirmerie s'est ouverte et Pierre Legrand en est sorti:

— Bonne nouvelle: Jujube respire normalement.

— Il faut tout de même appeler une équipe médicale, a proposé Marie-Giga. Au cas où Jujube aurait une commotion cérébrale.

— Je m'en charge immédiatement, a affirmé Pierre en rentrant dans l'infirmerie. Mais pour l'instant, elle dort paisiblement.

— Elle s'en sort, a dit Julien tout en me prenant la main.

J'étais bouleversée, mais je ne l'ai pas retirée. J'ai même serré la sienne et j'ai entraîné Julien. On s'est dégagés du groupe, puis j'ai murmuré à Julien que je redoutais le pire.

— Mais elle est pourtant sauvée!

— Je crois que quelqu'un a tenté de la tuer.

— Quoi?

J'ai avoué à Julien mon inquiétude: les plongeurs nocturnes l'avaient-ils vu quand il les a photographiés?

— Ils t'ont aperçu; on en a la triste preuve maintenant.

— Je ne comprends pas…

— Jujube a trimballé son appareil photo toute la journée. Tu as travaillé au flash; on doit voir les éclairs de cet appareil du milieu de la baie. Et ton chandail jaune fluo, celui que tu as prêté à Jujube.

Julien a bégayé:

— Je… Non, ils ne pouvaient pas voir le flash… Mais… Tu… ils ont pris Jujube pour moi?

— Ou plutôt ils ont pensé que c'était elle qui les avait surpris. Comme si Jujube pouvait avoir ce genre d'idée! Pauvre elle!

— C'est horrible ce que tu dis! Il faut faire arrêter Pierre Legrand tout de suite!

— Par qui?

— On va en parler au directeur. Il appellera la police.

— Et si le directeur est complice?

— Oh non! C'est impossible! a protesté Julien.

— Je sais qu'il est gentil avec toi, mais il nous faut des preuves. Nous devons d'abord voir tes photos.

Julien a hoché la tête:

— Heureusement que j'avais le téléobjectif! Allons à l'atelier de photographie.

***

Une mauvaise surprise nous attendait: téléobjectif ou pas, flash électronique ou pas, les photos étaient beaucoup trop sombres pour qu'on distingue quoi que ce soit... Ou qui que ce soit…

— On n'est pas tellement avancés… Qu'est-ce qu'on fait maintenant?

J'ai regardé Julien sans répondre; je ne savais vraiment pas quelle décision prendre. Appeler la police? Nos parents?

— Il faut monter la garde auprès de

Jujube. Julien, tu te souviens que Marie-Giga a dit qu'elle est arrivée au moment où Pierre Legrand tirait Jujube de l'eau?

— Oui. Et alors?

— Il ne la tirait pas de l'eau, mais il devait s'apprêter à la noyer après l'avoir assommée, au moment où Marie-Giga s'est manifestée. Il essaiera peut-être de tuer Jujube cette nuit pour l'empêcher de parler quand elle se réveillera.

— Elle nous raconterait que Pierre l'a attaquée! Elle dira tout à l'équipe médicale!

— L'équipe médicale? Elle ne viendra jamais! C'est Pierre qui devait l'appeler…

— Mais il ne l'a pas fait, a chuchoté Julien. Ce n'est pas dans son intérêt qu'un médecin découvre que Jujube a été assommée ou qu'elle a été asphyxiée parce que quelqu'un a tenté de la noyer.

— Cependant Pierre doit sentir que les choses se gâtent… Il ira certainement à l'épave cette nuit.

— Il faut qu'on y aille aussi, a déclaré Julien.

— Il faut pourtant rester au chevet de Jujube… Même si Marie-Giga est auprès d'elle; notre monitrice ne sait pas que Jujube est en danger.

— Passe la nuit auprès de Jujube, tandis que j'irai à l'épave.

— C'est trop dangereux!

— On n'a pas d'autre solution!

Tout en revenant vers l'infirmerie, Julien m'a fait remarquer que nos pilleurs d'épave allaient sûrement avoir une réaction violente en constatant qu'ils avaient été volés à leur tour.

— Ils vont se trahir en voulant récupérer leur argent. Tout cet argent, d'ailleurs, n'est-ce pas une preuve suffisante pour téléphoner à la police?

— Tu as raison; essayons de nous faufiler jusqu'au bureau du directeur.

— Il doit être encore à l'infirmerie. Profitons-en.

On s'est glissés sans problème dans le bureau et on a appelé la police. Le poste le plus près de l'île aux Loups est situé dans un petit village et on a eu beaucoup de difficultés à obtenir la communication.

Pour ce que ça nous a aidés!

Le policier qui nous a répondu n'a pas du tout cru notre histoire de contrebandiers, de pirates, d'épave et de trésor volé.

Il nous a dit que ce n'était pas la première fois que des petits plaisantins appelaient de la colonie de vacances pour raconter des histoires de flibustiers et de monstres marins. On a eu beau insister, jurer qu'on disait la vérité, le policier nous a raccroché au nez en riant.

— On devrait peut-être demander de l'aide à monsieur Alphonse, a proposé Julien. Lui pourrait convaincre les policiers. C'est un adulte et ça fait des années qu'il travaille dans l'île.

— Et s'il a trop bu? Ils ne le croiront pas davantage.

— Non, j'irai le voir à l'aube. Il sera sobre à ce moment-là. En attendant, je vais aller vérifier ce qui se passe près de l'épave.

— Et moi, je file à l'infirmerie; je vais dire à Marie-Giga que je veux dormir avec Jujube parce que je suis trop inquiète pour elle.

Je n'exagérais rien. Je regardais Marie-Giga et Jujube dormir en me demandant ce qui allait nous arriver. Si parfois je m'assoupissais, je rêvais aussitôt que les pilleurs d'épave venaient nous égorger. Quelle nuit!

Et quelle matinée!

À six heures du matin, j'enviais les oiseaux qui chantaient avec tant de plaisir, alors que moi, j'étais morte d'angoisse en songeant à ce qui avait pu arriver à Julien.

Il avait promis de venir me raconter ce qu'il avait vu près de l'épave avant d'aller parler à monsieur Alphonse. Je l'attendais depuis que le jour s'était levé, mais il n'apparaissait toujours pas!

Dans moins d'une heure, les autres campeurs s'éveilleraient; si on constatait que Julien avait disparu, ce serait la pa-

nique! Et Pierre Legrand devinerait qu'on s'était mêlés de ses affaires.

Je devais tenter de retrouver Julien!

Je devais d'abord retrouver monsieur Alphonse pour savoir s'il avait vu Julien. Peut-être que mon ami avait simplement changé ses plans et qu'il était allé voir monsieur Alphonse avant de se rendre à l'épave?

Chapitre VIII
À la recherche de Julien

J'ai quitté l'infirmerie silencieusement après avoir réglé un réveil qui sonnerait cinq minutes après mon départ. Ça réveillerait Marie-Giga; elle serait donc consciente si un intrus pénétrait dans l'infirmerie pour nuire à Jujube. Un intrus que j'imaginais davantage en train d'ennuyer Julien...

J'ai couru jusqu'au chalet de monsieur Alphonse, j'ai frappé à sa porte. Un coup. Deux coups. Trois coups. Rien. J'ai recommencé. Ma parole! Il était sourd!

À moins qu'il ait été inconscient? D'avoir trop bu ou d'avoir reçu un coup sur la tête? J'ai essayé de pousser la porte, sans succès. Il ne me restait que la fenêtre: après avoir regardé à l'intérieur, au cas où monsieur Alphonse n'aurait pas été seul, je me suis glissée vers lui. Il était couché sur le ventre. Je me suis approchée, le coeur battant: respirait-il encore?

Oui. Je lui ai secoué le bras et il a tressailli. Je suis allée chercher de l'eau pour lui asperger la figure et je revenais vers lui quand j'ai entendu tousser derrière moi.

Je me suis retournée en souriant, certaine de voir Julien.

C'était Pierre Legrand.

Il tenait une des carabines du stand de tir. Il la pointait vers moi:

— Maintenant, tu vas me dire ce que tu fais ici. Où est passé ton petit copain?

— Je suis somnambule; je ne sais pas comment je suis venue jusqu'ici.

Pierre Legrand a ricané méchamment:

— Tu te crois spirituelle? Tu le seras un peu moins quand je t'abandonnerai à l'île à la Tortue.

— À Haïti? À l'île des Boucaniers? C'est normal, pour un flibustier…

— Tu sais très bien que je parle de l'île qui est beaucoup plus loin que l'île aux Ours. Tu ne pourras jamais la fuir à la nage. Et comme c'est une île de sable et de galets, aussi lisse que le dos d'une tortue, justement, je crois que tu auras bien faim. Dommage pour une fille gourmande comme toi.

— Tu ne ferais pas ça!

— Oh si! À moins que tu me dises où est passé Julien. Il m'a échappé cette nuit, mais tu vas m'aider à le retrouver.

Julien n'était donc pas prisonnier des

pilleurs d'épave? Super! J'ai caché ma joie du mieux que j'ai pu en secouant la tête:

— Je ne sais pas où il est!

— Arrête de mentir, sinon tu vas le payer cher!

— Mais je ne mens pas! Je suis venue ici parce que je m'inquiétais au sujet de Julien! J'espérais que monsieur Alphonse puisse m'aider.

Pierre Legrand a éclaté de rire:

— Ça, ça m'étonnerait. Il s'est endormi, complètement ivre!

— C'est de ta faute! C'est toi qui lui as donné du cognac!

— Ça lui plaisait bien... Et à moi aussi. Je n'avais pas envie qu'il se mêle de mes affaires. Même si j'avais pris mes précautions pour qu'il garde le silence sur ce qu'il verrait.

— Quelles précautions?

— Je lui ai dit que j'étais un ichtyologiste.

— Un quoi?

— Un spécialiste des poissons. Et qu'en tant que savant, je cherchais, avec mon équipe scientifique, à filmer une sorte de truite très rare qui vivait dans l'épave... Le pauvre vieux a tout gobé!

— Ce n'est pas comme nous! On sait très bien ce que vous trafiquez dans l'épave! Et...

— Et quoi?

J'allais dire que les policiers viendraient bientôt les capturer, mais je me suis tue. Inutile d'inquiéter Pierre Legrand. Il se douterait alors, comme moi, que Julien était parti chercher du renfort.

Tout en me demandant intérieurement vers qui Julien s'était dirigé, j'ai répondu à Pierre que je voulais ma part du trésor.

— Qu'est-ce que tu dis? Tu veux de l'argent?

— Eh oui! Je ne vois pas pourquoi vous seriez les seuls à en profiter... Je veux m'acheter une télévision, un magnétoscope et quelques autres bricoles. Ça prend des sous. Et mon père refuse de m'en donner. Toi et tes complices, vous serez plus compréhensifs, j'en suis certaine.

Pierre Legrand était visiblement surpris:

— Tu ne veux pas parler du trafic de drogue aux policiers?

Le trafic de drogue? Mais qu'est-ce

qu'il me racontait? J'ai fait semblant de comprendre:

— Pas question que j'aille tout dire à la police. Qu'est-ce que ça me donnerait? Je veux juste ma part.

— Tu t'es déjà servie en volant le sac de billets.

— Il y en a beaucoup d'autres, j'en suis certaine… Si c'est vrai que vous trafiquez de la drogue, il doit y avoir encore de l'argent à gagner. À condition que votre drogue soit de bonne qualité.

— Notre cocaïne est très pure! Et notre client est très satisfait. Ce n'est pas le genre d'homme qui enverrait ses gars plonger à l'épave pour de la cochonnerie!

Ça y est! Je comprenais: les touristes qui nageaient autour de l'épave venaient, en fait, cacher des billets pour payer la drogue. Ils devaient en prendre livraison le lendemain et la rapporter au trafiquant pour lequel ils travaillaient... Pour être certaine que j'avais deviné juste, j'ai dit à Pierre Legrand:

— C'est parce que tu avais peur qu'on trouve des petits paquets de coke que tu nous interdisais d'aller visiter l'épave? Ou parce que tu craignais encore plus pour tes sacs de billets?

— Avec des fouineurs de votre espèce, on ne prend jamais trop de précautions! Et pourtant, Julien et toi avez tout découvert!

— Monsieur Alphonse ne se doutait de rien?

— Mais non! C'est juste un ivrogne!

— Il est très gentil! Je l'aime bien.

Pierre Legrand a ricané de nouveau:

— Formidable, je vais donc plutôt vous enfermer ici ensemble... Tu vas d'abord le ligoter. Puis j'en ferai autant avec toi. Je n'ai pas l'intention de partager le fruit de mon trafic, j'ai assez d'un complice! Toi, tu vas malheureusement brûler dans l'incendie du chalet... On croira que c'est Alphonse qui a mis le feu quand il était ivre! Allez, va chercher la corde qui traîne dans le coin.

Je n'avais pas fait un pas qu'on m'a jetée à terre: monsieur Alphonse ne dormait pas et avait tiré sa carabine de dessous sa couverture.

— Calme-toi, sac à vin, a dit Pierre Legrand. Je vise bien mieux que toi...

Avant qu'il finisse sa phrase, monsieur

Alphonse tirait un premier coup de feu. Pierre Legrand a riposté et touché à la cuisse monsieur Alphonse qui a tiré de nouveau. Il n'a pas atteint Pierre, mais le panache d'orignal qui se trouvait au-dessus de la porte. Le panache a assommé Pierre en tombant.

Je me suis ruée sur monsieur Alphonse:

— Merci, vous m'avez sauvé la vie! Oh! Mais vous saignez énormément! Je vais aller chercher du secours!

Monsieur Alphonse a dit courageusement:

— Ça ne me fait pas mal, petite.

— Voulez-vous boire un verre d'alcool en attendant?

Monsieur Alphonse m'a souri doucement:

— Je n'en ai pas besoin. Je suis amplement satisfait à l'idée de t'avoir débarrassée de Pierre Legrand... Cours vite trouver Julien.

— Mais où est-il?

— Ici, a fait une voix à l'extérieur.

Deux secondes plus tard, Julien entrait par la fenêtre, puisque Pierre Legrand, inanimé, bloquait le passage à la porte. Je me suis jetée dans les bras de Julien

sans réfléchir. Puis je me suis reculée; je devais être aussi rouge que lui. Heureusement, il y a eu aussitôt une diversion: des policiers enfonçaient la porte.

Ils se sont précipités sur monsieur

Alphonse et un d'entre eux lui a fait un garrot, tandis qu'un autre passait des menottes à Pierre Legrand.

J'ai raconté à Julien ce qui s'était passé, puis il m'a expliqué à son tour qu'il était allé chercher du renfort en emportant avec lui le sac de billets qu'on avait trouvé:

— J'ai emprunté la vieille bicyclette de monsieur Alphonse et j'ai foncé au poste de police. Cette fois, ils m'ont cru!

Un policier est venu vers nous:

— Je me sens coupable de ne pas vous avoir écoutés la première fois, mais chaque été, il y a des campeurs qui nous dérangent pour rien. Acceptez mes excuses. Et mes félicitations! On savait qu'il y avait un trafic de drogue dans le coin, mais on n'avait pas deviné que les bandits utilisaient l'épave pour ce trafic. Depuis le temps que ce petit manège dure, Roger «la fourmi» Tremblay et sa bande ont amassé des milliers de dollars!

— Un vrai trésor, ai-je dit.

— Les trésors, c'est vous, a marmonné monsieur Alphonse avant de s'endormir parce qu'on lui avait fait une piqûre.

Un policier nous a rassurés:

— Monsieur Alphonse sera bientôt de retour chez lui. Et vous, je vous ramène. Vous avez bien besoin de dormir, si j'en juge par vos petites mines.

On n'a pas pu se coucher immédiatement: Jujube avait tout à fait repris ses esprits et voulait absolument savoir ce qui était arrivé. Je lui ai tout dit.

Enfin presque… je n'ai pas raconté que Julien viendrait passer le reste de l'été avec moi, à la montagne Noire. Et que je le trouvais de plus en plus beau. C'est mon secret. Et ça vaut bien un trésor!

Chrystine Brouillet

LE COMPLOT

Illustrations
de Philippe Brochard

Chapitre I

Si Jean-François Turmel croit m'impressionner avec son walkman, il se trompe! Quand je pense à lui, je pense à un coq. Surtout au cours d'éducation physique: il a coupé les manches de son tee-shirt aux épaules afin qu'on voie bien les muscles de ses bras. C'est inutile, tout le monde sait qu'il peut se battre. L'an dernier, Philippe Boutet l'a provoqué. Résultat: trois points de suture et un poignet foulé. Jean-François, lui, s'est cassé le pouce. Ils avaient l'air intelligent! Je ne pouvais pas les plaindre, ils m'énervent tous les deux.

La semaine dernière, Jean-François voulait nous épater avec ses nouveaux patins à roulettes. Lui qui arrive toujours en retard à l'école avait vingt minutes d'avance; il roulait à toute vitesse dans la cour, freinait à deux pas des filles, pensant leur faire peur (!), éclatait de rire, s'arrêtait de temps à autre pour parler avec ses copains. Vraiment ridicule! J'aurais bien aimé qu'il tombe; malheureusement, Jean-François est un excellent patineur. Je l'ai bien vu à la roulathèque.

Il ne l'avouera pas, mais je suis certaine que son beau-père lui a payé des cours privés. Il lui paye tout! Pour son anniversaire, Jean-François a reçu un mini-ordinateur. Il avait toute la classe à goûter chez lui durant l'après-midi. Même si c'était un peu froid, il paraît qu'ils se sont baignés; la piscine de Jean-François est chauffée jusqu'à la fin septembre. C'est ce que Johanne Savard m'a raconté. Moi, je ne suis pas allée chez Jean-François, il m'énerve trop!

Cette année, il est assis à côté de moi au cours d'initiation aux sciences physiques. Madame Bastien nous a placés par ordre alphabétique afin de se souvenir plus facilement de nos noms. Pour mon malheur, je m'appelle Sophie Tremblay. J'ai demandé à madame Bastien de me changer de place; elle m'a répondu que c'était du caprice et d'attendre un peu. Ce n'est pas elle qui travaille en équipe avec Jean-François Turmel!

Quand nous avons fait les expériences sur les poids, il s'amusait avec la balance en déplaçant le curseur pour fausser les résultats. Je lui ai dit qu'il n'était pas drôle. Il a ri! Pas moi: qui va faire le rapport à remettre lundi au professeur? Sophie-le-poisson. Parce que je n'ai pas envie d'avoir une mauvaise note.

Je trouve injuste de travailler pour deux. Au lieu d'inscrire les étapes de l'expérience, Jean-François dessine; il dessine bien les chats peut-être, mais ce n'est pas la place sur une feuille de graphiques. Je pourrais m'en plaindre à madame Bastien, mais ce n'est pas mon genre: je déteste les chouchous de professeurs. Il ne me reste plus qu'à ignorer Jean-François; je ne lui parle même pas.

Johanne m'a demandé pourquoi j'étais dure avec mon coéquipier. Je lui ai répondu:

— Quand il cessera de se conduire comme un bébé, je lui parlerai. Je n'aime pas les imbéciles.

Elle lui a tout répété; elle est béate d'admiration devant lui parce qu'il a les cheveux blonds. Au cours suivant il m'a dit:

— Alors il paraît que je suis un imbécile?

— Oui.

— Et pourquoi, Mademoiselle-le-génie?

J'ai répliqué:

— Je ne suis pas un génie, mais toi non plus. Et je n'ai pas de temps à perdre avec un gars qui n'a rien d'autre que les cadeaux de son père pour se rendre intéressant.

Jean-François a dit que j'étais jalouse. Moi, jalouse? Il est fou! Je ne lui ai pas répondu et je me suis concentrée sur l'expérience.

On travaille avec du mercure. Je trouve toujours étonnant qu'une si petite quantité de métal soit si lourde. J'aime bien le mercure. C'est très beau. Ma mère m'a dit que c'était le nom d'un dieu romain qui avait les pieds ailés. Le cours allait se terminer quand Jean-François m'a de nouveau adressé la parole; il voulait savoir si je connaissais le dieu Mercure. J'étais surprise puisque j'y pensais justement, mais j'ai répondu très vite:

— Oui, c'est le dieu du commerce. Pourquoi m'en parles-tu?

— Parce qu'il y a une statue dans le bureau de mon beau-père. Je la vois chaque fois que j'y vais. Mercure a un casque avec des ailes. Mais j'aime mieux celui d'Astérix.

— Moi aussi, j'aime assez Astérix. J'ai lu tous les albums sauf le dernier.

Jean-François m'a proposé de me le prêter. J'ai accepté. Je suis sûre qu'il croit avoir réussi à m'amadouer avec son offre; si je veux lire le bouquin, c'est simplement parce que j'adore la bande dessinée.

Seulement, quand j'ai vu toute la classe s'attrouper autour de Jean-François parce qu'il venait de recevoir un walkman, je n'ai plus voulu lire son album. Bande dessinée ou pas. Il est venu vers moi avec son nouveau gadget; je l'ai regardé des pieds à la tête bien lentement; il n'y a rien de tel pour faire perdre son assurance à quelqu'un. Il m'a questionnée:

— Pourquoi me regardes-tu comme ça?

— Pour rien.

Il a haussé le volume de son appareil et m'a demandé si je voulais essayer ses écouteurs. J'ai refusé. J'aimerais bien savoir quel effet produisent les écouteurs, mais je ne voulais pas faire ce plaisir à Jean-François.

— Mais qu'est-ce que je t'ai fait, Sophie Tremblay? Je suis correct avec toi! Ça serait trop te demander d'être un peu plus gentille?

Je ne me suis pas gênée pour lui dire ce que j'avais sur le coeur: j'en avais assez de rédiger les devoirs de physique. Quant à ses méthodes pour se faire des amis en les attirant avec un walkman ou des patins, je les trouvais franchement idiotes. Jean-François a pâli:

— Si j'avais toujours habité cette ville, je ne serais pas obligé de faire tout ce cirque pour que vous me remarquiez. Cela fait maintenant deux ans que je demeure ici et vous commencez seulement à me parler. Même si c'est parce que j'ai un walkman, c'est mieux que rien. Tu aimerais peut-être que je fume, comme Dugas et Boucher? Tu sauras que j'ai déjà pris de la drogue, Sophie Tremblay!

— Et après? Tu peux fumer tant que tu veux, ça ne me dérange pas. Ce qui me dérange, c'est d'être la seule à me taper les devoirs de physique!

Sur un ton très assuré, Jean-François m'a dit:

— Si ce n'est que ça, je le ferai pour la prochaine expérience.

Je ne pouvais pas refuser; il fallait que je le laisse faire puisque je m'étais plainte. Mais ça m'embêtait car j'avais peur qu'on obtienne une mauvaise note. Ce n'est pas que je sois si studieuse (en fait, je n'aime pas tellement l'école) mais je veux travailler en génie nucléaire. Il faut que je réussisse très bien en sciences. L'an prochain, en secondaire IV, nous choisissons notre option: sciences pures ou sciences humaines. Je dois avoir 85 % de moyenne pour être acceptée en maths «enrichies».

Mais j'avais tort de m'inquiéter: nous avons obtenu la note la plus élevée: 93 %. À la fin du cours, j'ai attendu que Jean-François soit seul pour aller lui parler:

— Je suis contente de la note, Jean-François. Tu dois avoir travaillé longtemps?

— Un peu, oui.

Comme il se taisait, je lui ai fait remarquer sèchement:

— Tu voulais que je te parle et maintenant que je le fais, tu réponds à peine.

Il a soupiré et m'a dit d'une drôle de voix:

— Mon chat est mort, hier, et je pense à lui. Je suppose que tu es contente?

— Quoi? Mais pourquoi est-ce que je serais contente?

Jean-François a crié:

— Je le sais que tu me hais!

Confuse, j'ai bafouillé:

— Mais je ne te déteste pas. Et ça ne me fait pas plaisir que ton chat soit mort. Moi aussi, j'aime les chats. Je ne suis pas un monstre!

On a gardé le silence puis, au bout de quelques minutes, j'ai demandé à Jean-François:

— C'est le chat que tu dessinais durant la classe?

— Oui.

— Il était très vieux?

— Non. Il venait d'avoir trois ans.

— Ah. Il a eu un accident?

Jean-François a haussé les épaules:

— Pas vraiment. Il est mort étouffé.

J'ai fait:

Le complot

— Quoi? Étouffé? Par qui?

— Personne ne l'a étranglé, je le laissais aller jouer dehors parce que je ne voulais pas qu'il s'ennuie. Il courait souvent dans la carrière de sable et il se salissait. Je suppose qu'à force d'avaler des poussières de sable en se lavant, il s'est étouffé.

— Cela m'étonnerait, Jean-François. Tout ce qui pouvait lui arriver avec du sable, c'était que sa vessie soit bloquée par la formation de pierres. Ton chat est mort parce qu'il y avait des produits nocifs dans la carrière. Parles-tu de la carrière Golsbell-Fournier?

— Oui.

— Bah alors, j'ai raison. Il y a des tas de résidus chimiques à cet endroit. Je suis désolée pour ton chat.

Nous avons attendu l'autobus en silence. Quand nous sommes montés, au lieu de m'asseoir seule selon mon habitude, je me suis installée à côté de Jean-François. Je pensais que j'aurais tant de peine si je perdais ma chienne Frimousse. Je descendais avant Jean-François et je lui ai souri en partant:

— À demain.

Le complot

Chapitre II

Le lendemain, Jean-François m'a montré des photos de son chat. De très bonnes photos: claires, nettes et des couleurs qui semblent vraies. C'est assez rare: je connais très peu de personnes qui maîtrisent la couleur.

Mon frère Pierre a fait plusieurs photos de son amie Isabelle et elles ne sont pas terribles: Isabelle a la figure presque grise. Évidemment, elle n'est pas bronzée dans la vie, mais elle n'est tout de même pas aussi pâle qu'un comprimé d'aspirine. Je critique les photos de mon frère, mais je n'ai pas plus de talent que lui: mes verts sont bruns, mes rouges virent à l'orange: on croirait que je suis daltonienne!

J'ai félicité Jean-François en lui racontant mes déboires photographiques.

— De toute façon, je n'ai absolument pas le sens artistique. Je dessine ou plutôt gribouille comme un enfant de deux ans; je n'ai pas l'oreille musicale et tu sais que la composition française est une véritable épreuve pour moi! Tu t'en tires beaucoup mieux.

— Mais tu es meilleure en sciences.

— C'est facile, j'aime ça.

— Pas moi. Je m'amuse un peu avec mon ordinateur, mais je préfère dessiner. J'y pense, tu n'es jamais venue voir mon ordinateur. Pourquoi?

J'ai éclaté de rire:

— Tu m'énervais trop!

— Et maintenant?

— Je te trouve bizarre.

Jean-François avait l'air surpris:

— Moi, bizarre?

— Oui, tu es soit insupportable, soit très gentil. Je ne comprends pas pourquoi tu veux toujours te battre ou te faire remarquer. C'est énervant.

Jean-François protestait:

— Mais j'avais raison de me battre. Toi aussi d'ailleurs, tu t'es déjà battue.

Un point pour lui; c'est vrai que j'ai déjà fait avaler du sable à Mélanie Hunt. J'ai sourcillé, Jean-François a rigolé:

— Et maintenant, veux-tu venir voir mon ordinateur samedi?

— Oui. Si ma mère accepte. Elle est assez sévère.

— Moi, je peux faire ce que je veux.

Ma mère est toujours partie. Depuis deux semaines, elle est en Floride.

J'ai soupiré:

— Chanceux! Profites-en, ma mère me surveille comme si j'étais un bébé.

La cloche sonnait, nous sommes entrés chacun dans notre salle de cours: nous n'avons ensemble que les cours de français et d'initiation aux sciences physiques. J'ai revu Jean-François à la fin de la journée. On marchait pour aller prendre l'autobus quand le grand Dugas est venu voir Jean-François pour lui proposer de fumer. Il a refusé.

— Tu aimes mieux les filles maintenant?

Jean-François a secoué Dugas par le bras:

— Ferme-toi! Est-ce qu'on se mêle de tes affaires?

J'ai dit d'un air méprisant:

— Ses affaires? Voyons, tout le monde sait ce qu'il vend. Et si tout le monde le sait, le directeur va sûrement l'apprendre. Tu ferais mieux d'abandonner ton trafic, mon vieux, avant d'avoir des problèmes. Ce que j'en dis, c'est pour toi. Tu viens, Jean-François?

Dugas a éclaté de rire comme si j'avais dit une imbécillité; mais je savais très bien que j'avais raison: Dugas et Boucher ne se cachent même pas pour vendre leurs joints. Madame Bastien les a vus. Assez idiots, de plus, pour en proposer au fils d'un prof. Il y a des gens qui n'ont aucun jugement. Dugas nous suivait:

— Jean-François! Tu pourrais parler de certaines personnes à Sophie Tremblay? Elle aurait peut-être la langue moins longue?

— Quelles personnes, Jean-François?

— Rien. Dugas dit n'importe quoi. Parce que j'ai fumé une fois, il pense que je veux recommencer. Oublie-le.

Dans l'autobus, j'ai demandé son numéro de téléphone à Jean-François pour confirmer ma présence samedi. Je l'ai prévenu: maman voudra savoir s'il y aura un adulte chez lui quand j'irai. Avec elle, il faut toujours qu'il y ait un adulte! Jean-François m'a dit que leur bonne serait présente.

— Jennie, c'est une fille qui vient de Vancouver pour apprendre le français. Je l'aime bien. Elle sera là quand tu viendras.

J'étais étonnée; c'était la première fois que je rencontrais quelqu'un qui avait une bonne.

— Vous êtes plusieurs enfants?

— Non, j'ai une demi-soeur, Alexandra. Elle a neuf ans. Mais ma mère est souvent absente; alors Jennie s'occupe des repas.

Quand je suis arrivée à la maison, j'ai parlé de Jean-François à ma mère. Elle a fait la moue:

— J'espère que ton copain ne ressemble pas trop à son père. Je n'aime pas beaucoup monsieur Auclair.

— D'abord, ce n'est pas son père, mais son beau-père. Qu'est-ce que tu as contre lui?

Maman m'a expliqué qu'elle ne connaissait pas monsieur Auclair personnellement;

mais elle s'opposait à son projet avec le comité de protection de l'environnement. Il veut implanter une usine dans la région, mais il se fiche complètement des dangers pour l'écologie. Il a beaucoup d'influence au gouvernement; si le projet est accepté, le comité devra se battre pour obliger monsieur Auclair à prendre des mesures antipollution.

J'ai demandé de quel projet il s'agissait.

— Il veut ériger une usine de transformation de déchets métallurgiques.

— Et c'est dangereux?

— Cela dépend s'il met des dispositifs de sécurité, il ne devrait pas y avoir de problème, mais...

— Mais quoi? (Quand ma mère raconte une histoire, c'est toujours long; elle s'arrête sans cesse.)

— Georges Auclair a déjà installé deux usines près de Montréal et il ne semble pas se soucier des lois. Il en résulte de la pollution chimique. Les gens des environs ne peuvent plus boire d'eau sans la faire bouillir.

— Mais c'est criminel.

— Ce n'est pas si simple. Il y a de très bons avocats dans sa compagnie. Il réussit toujours à obtenir des contrats. Ce qui est plus grave encore, c'est qu'il souhaite implanter son usine près du parc des Trois-Lacs. S'il y déverse des produits nocifs, il n'y aura bientôt plus aucune vie sous-marine. Sans parler des dangers de radioactivité et d'explosion. Imagine qu'un camion chargé de déchets toxiques ait un accident: tout son stock sera répandu dans la nature. Et les dommages seront effrayants.

Devant mon air anxieux, maman m'ébouriffa les cheveux:

— Ne fais pas cette tête, ma belle, ce ne sont pas tes problèmes. Va jouer un peu avant le souper. Tu feras tes devoirs dans la soirée. Eh? À propos, avez-vous eu une bonne note pour votre travail de physique?

— Oui. Jean-François travaille bien quand il veut. On a eu 93 %. Il n'est pas si détestable; il m'a invitée à aller jouer chez lui en fin de semaine: il a un ordinateur!

— Ah bon? Et ses parents? Ils sont d'accord?

— Je suppose, oui.

— Tu demanderas à Jean-François. Je ne veux pas que tu déranges ces gens.

J'ai eu un mouvement d'impatience.

— Mais je ne dérangerai pas, il n'y aura

que Jennie, la bonne. Je me demande pourquoi ils ont une bonne. C'est juste pour les repas. Moi, je me débrouillerais.

Maman a ri:

— Tu te lasserais vite... La mère de Jean-François doit travailler, non?

— Oui, mais toi aussi.

— J'ai des horaires souples et je peux m'organiser avec ton père. Ce n'est pas aussi facile pour tout le monde.

— Peut-être.

Je suis sortie ensuite.

Il faisait beau. J'aime bien le mois d'octobre. On dirait que toute la terre prend une belle couleur dorée. Le soleil est plus doux; quand il éclaire les feuilles rouges, s'il vente un peu, on croirait qu'il y a de l'or dans les arbres. C'est féerique. Sur le terrain, derrière la maison, mon père a planté plusieurs espèces d'arbres: des noyers, du lilas japonais qui sent si bon, un saule pleureur, des bouleaux et des épinettes bleues.

Il y a aussi des érables. Au printemps, nous achetons du beurre d'érable à l'île d'Orléans. Le matin, j'en étends sur mes rôties, j'adore ça. Ma mère aussi, mais elle n'en mange pas souvent car cela fait grossir. Ce n'est pas mon problème: je bouge tout le temps. Il paraît que je suis énervante tant je suis active. Maman dit toujours à papa: «Ce n'est pas une fille que j'ai mise au monde, c'est une tornade!» Papa rit.

Heureusement pour ma mère, mon frère aîné est tranquille. Cela équilibre. Pierre est toujours calme sauf quand il s'agit de son amie: il se rue sur le téléphone, part une heure d'avance à ses rendez-vous. Il s'est acheté une veste de cuir noir et des lunettes, noires aussi, parce que Isabelle est un peu punk. Mon père ne comprend rien et dit que c'est vraiment bizarre de tout faire pour s'enlaidir. Je ne suis pas d'accord avec lui: le chandail taché d'Isabelle et son maquillage sont plutôt jolis. Il faut dire que j'adore le mauve et le vert. Et les tissus brillants.

Je suis sortie faire de la bicyclette; en pédalant, je repensais à l'usine de monsieur Auclair. Jean-François pourrait peut-être en parler avec lui et le dissuader.

Chapitre III

Le samedi suivant, en arrivant chez lui, j'ai tout expliqué à Jean-François sur les usines. Il m'a répondu qu'il ne pouvait pas discuter avec son beau-père, puisqu'il ne lui parle jamais. Il le déteste.

— Mais il te donne des cadeaux sans arrêt! Tu es super-gâté.

Jean-François n'a pas relevé ma dernière remarque, il a simplement dit:

— Toi, tu parles avec ton père?

— Mais oui, bien sûr. Même que je parle plus avec mon père qu'avec ma mère. On se ressemble plus.

— Qu'est-ce que vous faites quand vous êtes ensemble?

— On va à la pêche quand il prend des vacances ou les fins de semaine.

— Tu sais pêcher?

Jean-François me regardait comme si j'étais une martienne!

J'ai rigolé:

— Oui, si tu voyais la canne à pêche que j'ai eue en cadeau pour mes treize ans!

Jean-François se taisait; il avait l'air

contrarié. Qu'est-ce qui n'allait pas encore? Je le lui ai demandé mais il ne m'a pas répondu.

Il s'est mordu la lèvre; il se mord toujours la lèvre quand quelque chose le tracasse. Une de ses dents est un peu cassée depuis cet été: un accident de balle-molle; il devait frapper la balle avec le bâton, mais il l'a reçue en pleine figure. On lui a fait quatre points de suture. (Suture: quand j'étais petite, je disais toujours «soudure».) J'ai mis mon doigt sur sa lèvre:

— Est-ce que ça t'a fait très mal quand la balle t'a frappé?

Il a souri; il était fier de parler de sa blessure. J'avoue que je suis comme ça, moi aussi: j'ai parlé assez longtemps de ma cheville cassée. Mon cousin Jocelyn avait dessiné un extra-terrestre sur mon plâtre, mais il ne ressemblait pas beaucoup à E.T. Jean-François m'a expliqué:

— Je n'ai pas tellement eu mal quand j'ai senti la balle; mais c'était douloureux quand je mangeais: j'étais obligé de tout avaler avec des pailles.

— Qu'est-ce que tu mangeais?

— N'importe quoi, même de la viande. Jennie mettait tout dans le mélangeur, elle ajoutait du jus de légumes et j'aspirais la bouillie avec une paille en verre.

— C'était bon?

Jean-François a fait une horrible grimace:

— Non. Mais j'avais faim!

Il a claqué des doigts:

— Je viens d'avoir une idée: si on tordait du verre?

— Tordre du verre?

— Oui, j'ai un petit brûleur à alcool. Si on fait chauffer une paille de verre au-dessus de la flamme, elle plie: on peut lui donner la forme qu'on désire. J'ai déjà fait une paille à huit spirales.

— Ce n'est pas dangereux?

— Tu as peur?

J'ai protesté:

— Moi? Non. Je n'ai peur de rien.

Nous sommes descendus au sous-sol de leur maison. C'est immense. Je n'en croyais pas mes yeux: Jean-François a un laboratoire de chimie! Il y avait des fioles de toutes les grandeurs et des tas de poudres. Il est vraiment chanceux! Je ne parlerai probablement pas du laboratoire à ma mère; elle trouverait encore que nous sommes trop jeunes pour manipuler des produits

Le complot

dangereux.

Parfois, j'ai l'impression que ma mère oublie que je vais avoir quatorze ans dans cinq mois. Pourtant, la soeur de Jean-François, Alexandra, est venue nous voir dans l'atelier et Jennie n'a rien dit. Jean-François m'a précisé cependant qu'Alexandra n'a pas le droit d'y venir seule, ni de toucher aux produits.

N'empêche, c'est vraiment plus décontracté chez Jean-François; il faut dire que si ma mère était aussi en voyage, ce serait différent chez nous. Quand mes parents partent en vacances, c'est tante Aline qui vient nous garder: on se couche plus tard et elle nous fait des frites et de la pizza. J'adore! Et du gâteau aux ananas.

J'ai eu beaucoup de plaisir à tordre les pailles de verre, j'en ai rapporté une très longue chez moi; j'ai raconté que Jean-François en avait reçu deux en cadeau. C'est pourquoi il m'en avait donné une. J'ai hâte de boire du lait; ce sera amusant de le voir tourbillonner à travers le verre!

J'ai passé un bel après-midi. Jean-François est énervant seulement quand il y a du monde et qu'il veut se faire remarquer.

Chapitre IV

Aujourd'hui, Jean-François m'a confié qu'il avait essayé de discuter avec son beau-père.

— Il m'a dit que tu ne savais vraiment pas de quoi tu parlais.

J'étais furieuse:

— Mais je te jure, c'est vraiment dangereux, je...

Je n'ai pas pu terminer ma phrase, madame Bastien m'a interrompue:

— Sophie et Jean-François, si ce que je vous enseigne ne vous intéresse pas, veuillez tout de même garder le silence!

Madame Bastien est vraiment susceptible; je ne vois pas pourquoi elle s'énerve comme ça: nous parlions à voix basse. Nous avons été obligés d'attendre la fin du cours pour reprendre notre conversation. J'aurais pu lui écrire des billets, mais c'est trop long. Nous commencions à parler quand Mélanie Hunt s'est mise à ricaner:

— Eh, Sophie! C'est le grand amour avec Jean-François Turmel?

La reine des emmerdeuses, c'est elle! Je

l'aurais étripée. Jean-François a rougi et s'est éloigné de moi aussitôt. J'avais l'air d'une dinde, plantée là au milieu de la place. J'aurais voulu répondre à Mélanie; mais je ne voulais pas non plus avoir l'air de prendre sa remarque trop au sérieux et de me défendre. Elle ne perd rien pour attendre.

Elle n'a pas attendu longtemps: à la cafétéria, Mélanie s'est assise à côté de Jacques Beaulieu. Je lui ai lancé, assez fort pour que tout le monde entende:

— Et alors? Toi aussi, tu es amoureuse? Du beau Jacques?

Elle a vu comme c'est agréable, ce genre de petite réflexion stupide. Je trouvais un peu dommage de dire que Jacques est beau parce qu'il le croit déjà; il est vraiment prétentieux, mais j'avais trop envie de ridiculiser Mélanie.

Jean-François qui suivait la scène riait et il est venu manger son dessert avec moi.

Il achète souvent du chocolat. Moi, ma mère me donne toujours un fruit. Un fruit, quel ennui! Heureusement, Jean-François partage parfois avec moi. J'ai fini de manger le chocolat aux cerises; puis j'ai redemandé à Jean-François ce que son beau-père avait dit et pourquoi il ne voulait pas discuter avec lui.

— Il ne m'écoute pas quand je lui parle. Je le déteste. Je ne voulais pas que ma mère se remarie.

— Pourquoi s'est-elle remariée?

— Je ne le sais pas. Je ne comprends pas toujours ma mère.

— Tu n'es pas le seul. Si tu connaissais la mienne!

Jean-François baissa la tête quelques secondes puis il m'interrogea:

— Penses-tu vraiment que mon chat a pu s'empoisonner avec des résidus chimiques?

— Oui; si les poissons meurent dans les rivières à cause des déchets toxiques, je ne vois pas pourquoi les chats ne mourraient pas. Et ton chat a peut-être aussi mangé du poisson.

Jean-François me déclara:

— Alors, il faut empêcher mon beau-père de construire son usine. Sinon, il y aura encore plus de pollution!

J'étais abasourdie; Jean-François et moi étions télépathes. Je pensais exactement à la même chose que lui: empêcher monsieur Auclair de bâtir. Seulement, c'est plus facile de penser que de faire...

Jean-François sourit:

— Il faut le convaincre, c'est tout simple.

— Mais comment?

— On va lui envoyer une lettre anonyme.

Excellente idée! Nous avons composé la lettre:

«Monsieur, nous vous avertissons que nous sévirons si vous persistez à construire votre usine. Nous ne pouvons admettre ce nouveau danger écologique. Si vous passez outre à ce conseil, vous le regretterez.»

J'ai tapé la lettre sur la machine à écrire que nous avons au local de vie étudiante pour notre journal *Entrain*.

Trois jours plus tard, Jean-François m'a dit que son beau-père avait reçu la lettre, il avait sourcillé puis l'avait jetée au panier.

— Il faut trouver autre chose!

— On pourrait lui envoyer une rose noire.

— Une rose noire? Pourquoi? Voyons, Sophie, ce n'est pas du tout inquiétant.

— Tu crois? J'ai vu dans un film que les caïds de la mafia envoient des roses noires pour prévenir leur prochaine victime de ce qui l'attend. Une façon de lui dire qu'elle est condamnée. On pourrait joindre une lettre en disant que c'est le dernier avertissement. S'il croit que la pègre s'en mêle, ton beau-père devrait avoir peur.

— Tu n'as pas réfléchi. Quatre obstacles: premièrement, je ne sais pas si mon beau-père sait ce que symbolise la rose noire. Deuxièmement, cette histoire de cinéma est peut-être fausse. Troisièmement, je me demande où on pourrait acheter une rose noire: je n'en ai jamais vu par ici, c'est trop exotique – si cette fleur existe, je te le répète. Et enfin, pourquoi la mafia s'opposerait-elle à la construction de l'usine?

— Conflit d'intérêts.

— Si c'était vrai, ils seraient déjà entrés en contact avec lui. Tu n'as pas une autre idée? me demanda Jean-François en marchant.

Moi aussi, je me promenais de long en large, près de la porte de la cafétéria. Mélanie Hunt est passée à côté de nous en ânonnant – c'est assez normal puisqu'elle ressemble à une bourrique:

— C'est une nouvelle danse que vous essayez? L'aller-retour l'un vers l'autre? On dirait des poissons dans un aquarium!

J'allais répliquer quand Jean-François m'a attrapé le bras:

— Voilà l'idée! On va lui envoyer du poisson!

— Du poisson?

— Oui. Du poisson mort. Du poisson de la rivière, empoisonné. C'est écoeurant, tu ne trouves pas? Ce sera parfait!

— On va le poster?

— Non: il faut que mon beau-père reçoive le poisson à la maison: samedi soir durant la réception, devant tous les invités.

— C'est certain, ça ferait plus d'effet.

— Il y a une solution. On va payer un chauffeur de taxi pour aller porter le paquet. C'est moi qui paie, mais c'est toi qui demande au chauffeur d'aller à telle adresse.

— Pourquoi moi? C'est ton beau-père après tout!

— Justement: si mon beau-père pose des questions au chauffeur, celui-ci dira que c'est une fille qui a payé la course. Mon beau-père n'aura pas de soupçons puisqu'il ne te connaît même pas. C'est la seule solution.

Dire que l'idée m'emballait serait exagéré, mais je n'avais rien d'autre à proposer. J'ai accepté. Comme je devais rentrer tôt à la maison, c'est Jean-François qui est allé chercher le poisson. Il l'a emballé avec du papier d'aluminium et trois sacs de plastique; il n'y avait aucune odeur. On a placé une seconde lettre de menaces à l'intérieur du paquet:

«C'est vous qui avez tué ce poisson. Si vous ne cessez pas votre action destructrice, nous devrons prendre des mesures désagréables contre vous.»

Jean-François a eu la frousse parce qu'il s'était installé dans sa chambre, mais sans verrouiller la porte. Sa petite soeur a failli entrer. Comme elle s'étonnait qu'il la repousse, il lui a dit qu'il préparait une surprise pour Jennie: un dessin, qu'elle verrait une fois terminé. Jean-François ne sait pas si Alexandra l'a cru, mais elle n'a pas vu le paquet. Heureusement, sinon elle aurait pu tout raconter à son père. Toutefois, Jean-François dit qu'elle n'est pas du genre rapporteuse. Elle est seulement curieuse et aime suivre Jean-François partout. Ce qui n'est pas toujours pratique. Il a cependant réussi à sortir de la maison sans qu'elle s'en aperçoive; elle écoutait la télévision.

Il paraît que cela valait le coup de voir monsieur Auclair déballer le paquet. Le chauffeur de taxi a exigé, comme je le lui avais recommandé, de remettre le paquet en mains propres. Façon de parler; les mains du beau-père de Jean-François ne sont pas restées propres longtemps.

Il a déchiré le papier d'aluminium puis les sacs de plastique; quand il a réalisé ce que c'était, il était trop tard: l'odeur envahissait le salon. Les invités s'éloignaient de la table où reposait le paquet. Monsieur Auclair a sonné tout de suite Jennie qui a enlevé le poisson; mais elle est revenue quelques secondes après avec la lettre. Jean-François dit que son beau-père l'a lue très vite et a murmuré rageusement:

— Vraiment, ils exagèrent!

— Qui exagère? demanda madame Bordeleau, une invitée.

— Je ne sais pas. Je reçois des lettres de menaces. On voudrait que je renonce à construire l'usine.

— C'est peut-être les écologistes?

— Non. Ce serait étonnant. Ils ne m'estiment pas, mais ils n'emploieraient pas ces méthodes. J'aurais dû retenir le chauffeur de taxi et lui demander qui avait remis le paquet; mais je croyais que ce serait indiqué à l'intérieur. Bah... oublions ces mauvais plaisantins. L'usine sera tout de même bâtie. Ce ne sont pas ces menaces qui me feront reculer.

Jean-François me répétait:

— Tu vois ce qu'il a dit: que les menaces ne le feraient pas changer d'idée? Il faut vraiment l'effrayer la prochaine fois. On doit trouver une idée géniale.

Facile à dire. En tout cas, ce n'est pas ce jour-là qu'on a eu la fameuse idée. Car la cloche a sonné. J'ai vraiment l'impression qu'elle sonne toutes les fois que nous avons quelque chose d'important à faire. Pourtant il n'était pas encore une heure. À peine une heure moins vingt. Qu'est-ce qui se passait?

Réunion dans la grande salle. Tout le cours secondaire: le directeur avait une communication importante à nous faire. Les profs étaient là aussi. On nous a de nouveau parlé du «fléau de la drogue.» Moi, je n'en ai rien à faire de leurs discours sur la marijuana. Qu'ils en parlent avec ceux que ça intéresse!

On a perdu un quart d'heure de récréation afin d'entendre pour la nième fois qu'il est dangereux de fumer et de consommer de l'alcool. Parce qu'il y a aussi des élèves qui vont boire une bière durant l'heure du midi. Mais le plus grave, c'est qu'il y avait un trafic de drogues dures à l'école: de la cocaïne. Trafic est un bien grand mot à mon avis. C'est seulement une petite bande; et ce n'est pas parce que Jean-François a fumé une fois qu'il va fumer sans arrêt et finir ses jours complètement drogué.

Finalement, les mises en garde du directeur, les menaces de renvois, ont empiété sur l'heure du cours: j'étais contente parce que c'était le cours de français. Ma mère dit que je dois faire des efforts si je veux rédiger des travaux sur mes expériences quand je serai ingénieure; mais moi je dis que je les ferai écrire par quelqu'un d'autre. À chacun son métier. Jean-François et moi n'avons pas pu poursuivre notre conversation après le cours: il devait aller chez le dentiste avec sa soeur; ils n'ont pas pris l'autobus.

Chapitre V

Le lendemain, dans la cour de l'école, Jean-François m'a dit qu'il tenait la solution: faire à son beau-père ce qu'il fait aux animaux: l'empoisonner.

— L'empoisonner? Es-tu fou?

— Mais, Sophie, ce serait un petit empoisonnement. Qu'il soit seulement malade et comprenne ce que c'est que d'être intoxiqué.

— Mais si tu l'empoisonnes, il va se douter de quelque chose. Ou il accusera Jennie. C'est bien elle qui prépare les repas?

— Ah non! Il ne faut pas que Jennie soit mêlée à ça. Surtout pas Jennie!

— Pourquoi t'énerves-tu à propos de Jennie?

— Je ne m'énerve pas.

— Ah bon. Alors, tu as une solution?

— Non. Mais il faut faire vite; j'ai entendu mon beau-père discuter au téléphone; il doit rencontrer des agents du gouvernement la semaine prochaine.

Je m'étonnais:

— Ma mère ne m'en a pas parlé. Pourtant elle siège au comité de protection de l'environnement.

Jean-François rit tristement:

— Tu ne connais pas mon beau-père. S'il a reçu cet appel à la maison, c'est qu'il se croyait seul. Je suis certain que c'est louche.

Évidemment, Mélanie Hunt a remarqué que nous parlions à voix basse; elle est venue vers nous, s'est assise sur un banc à un mètre de l'endroit où nous étions; elle nous a regardés en rigolant bêtement. Nous sommes partis.

J'ai finalement accepté d'aider Jean-François; j'ai apporté de l'insecticide, du Cabaryl; c'est un produit que maman met sur ses rosiers pour les protéger des pucerons. C'est moi qui ai fourni le poison; car si Jean-François avait utilisé des poudres de son laboratoire de chimie, on aurait pu prouver que c'était lui, le coupable.

Nous sommes allés visiter le bureau de monsieur Auclair; comme il prend du café sans arrêt, nous avons mis de l'insecticide dans sa tasse. Il y a au moins quinze personnes qui passent dans ce bureau chaque jour. Monsieur Auclair ne saura pas qui soupçonner. Puisqu'il n'aura pas de

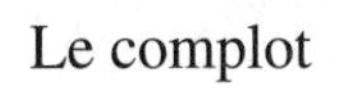

Le complot

preuves, il ne pourra pas porter plainte.

Le jour suivant, Jean-François affichait une mine réjouie quand il est arrivé à l'école: son beau-père avait été très malade. Le médecin avait dit que c'était probablement un empoisonnement alimentaire. Pas un empoisonnement délibéré, bien sûr. Jean-François m'a dit qu'on allait recommencer. J'ai refusé! Si on répétait l'expérience, ce serait plus grave! Monsieur Auclair avait eu sa leçon, cela suffisait.

Jean-François haussa les épaules:

— Bon, très bien, puisque tu ne veux pas m'aider, je me débrouillerai tout seul.

— Qu'est-ce que tu feras?

— Je vais cacher une capsule de produit chimique dans sa voiture, en dessous de l'allume-cigare. Mon beau-père fume sans arrêt; quand il pressera sur l'allume-cigare, il pressera aussi sur la capsule et les gaz vont l'asphyxier immédiatement. Il y aura une explosion: ça ne laissera pas de trace.

Jean-François avait l'air très sérieux. S'il disait vrai? Il est très fort en chimie. Je me suis dit qu'il était devenu fou subitement et qu'il valait mieux ne pas le contrarier. J'ai fait semblant d'hésiter encore un peu, puis j'ai dit:

— Bon, d'accord, je vais te rapporter du Cabaryl. Mais cette fois, je ne vais pas avec toi au bureau de ton beau-père. Il va penser que c'est moi qui l'empoisonne s'il est toujours malade après mes visites.

Jean-François approuva et me remercia.

Pendant le repas, j'ai parlé beaucoup car je ne voulais pas que maman remarque mon inquiétude. Mon frère Pierre m'a demandé ce qui me faisait jacasser comme une pie. Je lui ai dit de se mêler de ses affaires et je me suis tue.

Parfois, quand j'entends Johanne Savard se plaindre qu'elle n'a pas de frère, je lui prêterais volontiers le mien! Mon frère peut bien trouver que je parle beaucoup; lui, il est presque muet. Une huître! Sauf avec son amie Isabelle: alors là, il peut passer des heures au téléphone. Le plus drôle, c'est qu'ils ne se racontent rien d'important; ils se répètent qu'ils se verront le lendemain ou le soir même. Passionnant, n'est-ce pas?

Je ne me suis pas endormie aussi vite que d'habitude; je pensais à Jean-François. Je n'ai trouvé qu'une solution: remplacer le Cabaryl par une poudre ressemblante mais inoffensive. Son beau-père ne s'empoisonnerait pas et Jean-François aurait tout le temps de reprendre ses esprits.

Il a eu l'air ravi quand je lui ai remis l'enveloppe contenant le «poison». «Tu es une vraie amie», m'a-t-il dit. Il a raison, je suis son amie; c'est pourquoi je ne veux pas qu'il fasse de bêtises. Il a décidé d'empoisonner son beau-père durant la fin de semaine car Jennie serait absente et ne pourrait être soupçonnée.

— Mais toi, Jean-François, tu seras suspect?

— Non, car je ne serai pas à la maison non plus.

— Et comme ce n'est pas ta petite soeur qui empoisonnera ton beau-père, je suppose que ce seront des fantômes?

—Presque... je vais mettre le Cabaryl dans la bouteille de rhum brun. Mon beau-père ne boit que du St. James. Tôt ou tard, durant ces deux jours, il se servira bien un verre.

— Il pourrait remarquer en versant l'alcool? Ou en regardant le fond de son verre?

— Non, il fera ce geste machinalement, il n'a aucune raison de se méfier. Tout sera bien dissous.

J'essayais de semer le doute dans l'esprit de Jean-François, mais il avait l'air bien décidé. Je lui ai souhaité bonne chance et lui ai demandé où il passerait la fin de semaine.

— Chez mon père. À Montréal.

— Tu le vois souvent, ton père?

Jean-François se mordit la lèvre, il regardait ailleurs:

— Ça dépend. Il est très occupé; c'est un homme d'affaires important et comme il habite Montréal, c'est un peu compliqué. Mais quand je le vois, on s'amuse très bien. Très bien.

— Tant mieux. Alors, on se revoit lundi?

— Oui. Merci encore.

Le vendredi, le dernier cours de l'après-midi en est un d'histoire ancienne. Mélanie Hunt est malheureusement à deux pupitres de moi; elle m'a fait passer un billet où elle avait écrit: «Alors, on écrit des lettres d'amour à Jean-François Turmel? Je t'ai vue lui remettre une enveloppe.» Je me suis sentie subitement rougir, mais ce n'était pas de gêne. Je lui ai répondu par un autre billet: «Mêle-toi donc de ce qui te regarde.» Elle a lu mon message, a blêmi mais ne m'a pas envoyé de réponse. Je l'ai croisée en sortant de la salle de cours et elle m'a lancé:

— Je vais dire à tout le monde que vous vous écrivez des lettres; j'ai bien vu votre petit jeu.

Je n'ai pas répliqué, je l'ai regardée comme si elle était un misérable ver de terre. J'ai continué mon chemin, sachant qu'elle me suivait, mais je ne me suis pas retournée. Il ne fallait pas que j'aie l'air d'attacher de l'importance à ce qu'elle avait dit. La vie est bien compliquée.

Chapitre VI

Lundi, je suis partie plus tôt pour l'école en espérant que Jean-François ferait de même. Nous nous sommes rencontrés à la correspondance; nous prenons tous les deux l'autobus 8 pour nous rendre à l'école; mais c'est par coïncidence qu'on s'est croisés en cet endroit. Autre coïncidence: sa petite soeur n'était pas avec lui car elle avait la grippe et était restée à la maison. On pouvait donc parler librement.

— Alors? Ton beau-père?

— Rien. Il était en pleine forme. Il n'a pas été malade.

J'ai mimé l'étonnement:

— Quoi? Mais c'est impossible!

— Je te jure! Tu ne t'es pas trompée de produit?

J'ai dit non, puis j'ai claqué des doigts:

— Je sais ce qui est arrivé; ton beau-père s'immunise. Il développe des anticorps contre le poison.

Jean-François m'approuva:

— Tu dois avoir raison. Il ne nous reste plus qu'à recommencer.

Je m'affolai:

— Recommencer? Tout de suite?

Il me rassura à moitié:

— Non. Je vais attendre la prochaine fin de semaine.

Puis il passa aux problèmes de physique, expliquant qu'il y avait des erreurs dans les données sur le mercure.

Je n'avais pas du tout la tête à parler physique, mais j'ai répondu:

— Encore? Notre balance doit être déréglée. Il faudrait en parler à madame Bastien.

— Je l'aime bien, madame Bastien. J'aimerais que ma mère lui ressemble un peu.

J'ai pouffé de rire:

— Ah oui? Tu serais obligé d'étudier tous les soirs. Comment est-elle, ta mère?

— Jolie. Elle a les cheveux noirs.

— Est-ce qu'elle est sévère?

— Non. Pas trop. Tant que j'ai de bonnes notes à l'école, j'ai le droit de faire ce que je veux.

J'allais lui dire que c'était différent chez nous; mais je me suis tue car Mélanie entrait dans l'autobus. Évidemment, elle s'est assise derrière nous pour entendre notre conversation. Nous n'avons plus dit un mot, cela va de soi. Elle nous a embêtés toute la journée. Je n'ai pas pu voir Jean-François une seule fois sans que Mélanie Hunt surgisse quelques pas plus loin. C'est pénible!

J'espère qu'elle ne continuera pas son petit manège toute la semaine; il faut vraiment s'embêter pour suivre les gens. Jean-François dit que sa soeur est moins bébé que Mélanie. Il m'a demandé du Cabaryl pour tenter encore une fois d'empoisonner son beau-père. J'ai voulu refuser mais il a reparlé de l'explosion de la voiture. Même si c'est du chantage, j'ai accepté de lui apporter du Cabaryl. Enfin, ce qu'il croit être du Cabaryl.

Je n'aime pas la situation: qu'est-ce qui va se passer quand Jean-François découvrira que j'ai changé la composition de la poudre? Peut-être qu'il ne voudra plus me parler. Pourtant, il faudra bien qu'il comprenne. J'ai tenté de le raisonner jusqu'à la fin de la semaine: son beau-père ne devait pas être aussi horrible qu'il le prétend; il nous avait très bien accueillis quand nous étions allés à son bureau. Et puis, il ne le gâterait pas tant s'il le détestait. Jean-François m'a répondu:

— Et mon chat? Et les poissons? Qui m'a parlé des dangers de la pollution?

— C'est moi, oui, mais ce n'est pas toujours à nous de nous en occuper. Nous avons fait ce que nous avons pu avec la lettre, le poisson et le Cabaryl. C'est suffisant.

Il n'y avait rien à faire, Jean-François s'obstinait. Vendredi, je lui ai apporté une enveloppe contenant de la poudre. J'ai sursauté quand je suis entrée dans la salle de cours: je croyais que tous les étudiants étaient partis manger; mais j'aurais dû me méfier: Mélanie Hunt était cachée derrière la porte. La peste! Heureusement, Jean-François avait eu le temps de glisser l'enveloppe dans sa poche.

La fin de semaine s'est écoulée tranquillement. J'ai joué au tennis avec mon frère, je dois avouer que son revers est meilleur que le mien; j'ai perdu 6-2. Je voulais jouer une autre partie pour me rattraper, mais Pierre avait un rendez-vous avec Isabelle. Il a toujours des rendez-vous avec elle; à la maison, on ne le voit presque plus.

Voilà maintenant trois mois qu'ils se connaissent, et on dirait qu'ils se sont rencontrés hier. Ils se regardent dans les yeux,

ils se prennent les mains, ils s'embrassent, ils s'admirent. Isabelle contemple mon frère comme s'il était la huitième merveille du monde. Il n'est pas mal, mais Michael Jackson est vraiment mieux. Ou même Jean-François.

J'ai étudié un peu, mais je m'inquiétais pour Jean-François. Je savais bien qu'il était allé de nouveau chez son père à Montréal; mais j'avais peur que monsieur Auclair finisse par découvrir que son beau-fils «assaisonnait» le rhum et qu'il lui pose des questions. J'ai acheté du bicarbonate de soude afin que ma mère ne s'aperçoive pas que j'ai puisé dans sa boîte: c'est cela qui remplace le Cabaryl. Je trouve étrange que monsieur Auclair ne décèle aucun goût suspect; le soda, c'est quand même un peu salé. Pour la couleur, cependant, il n'y a pas de problème: Jean-François m'a dit qu'il boit son rhum avec du jus de citron ou d'orange.

Dimanche après-midi, je suis allée au cinéma voir *War Games* avec notre voisine. J'ai bien aimé même si je n'ai pas tout compris car le film était en anglais. Ça ne fait rien, j'adore les histoires d'ordinateurs. J'en voudrais un mais mon père dit que cela coûte trop cher. Il me répète: «Tu t'en achèteras un quand tu seras grande.» Le problème c'est que je le veux maintenant pas dans dix ans. Je serai bien avancée quand tout le monde saura travailler sur ordinateur: je serai en retard parce que j'aurai appris trop vieille!

C'est à ces choses que je pensais quand je suis entrée chez moi. Une mauvaise surprise m'attendait. Le directeur de l'école, monsieur Lemelin, était au salon avec mes

Le complot

parents et ils n'avaient pas l'air de rigoler! Ma mère est venue vers moi et m'a dit gravement:

— Sophie, il faut que tu nous dises la vérité.

Quelle vérité? Je me demandais pourquoi ils faisaient tous des têtes d'enterrement, mais j'ai dit oui quand même. Mon père a poursuivi:

— Sophie, ta mère et moi sommes abasourdis par ce que ton directeur vient de nous dire. Nous croyons qu'il s'agit d'une erreur. Il doit sûrement y avoir une explication à tout cela.

«Une explication?» allais-je dire, mais monsieur Lemelin a pris la parole:

— Sophie, tu est pourtant une de nos meilleures élèves, est-ce vrai que Jean-François Turmel et toi prenez de la drogue?

— De la drogue? Moi?

J'ai secoué la tête:

— Mais je ne comprends rien à ce que vous dites. Je n'ai jamais pris de drogue. Et ça ne m'intéresse pas, si vous voulez savoir. Comment avez-vous eu cette idée stupide?

Maman soupira fortement:

— Sophie! Voyons! On ne parle pas ainsi à son directeur. Excuse-toi.

Je me suis excusée, mais je le trouvais tout aussi ridicule. Monsieur Lemelin me regardait fixement, pensant peut-être que j'allais baisser les yeux. Et pourquoi? Il a dit enfin:

— Mais, Sophie, qu'est-ce que Jean-François et toi échangez depuis deux semaines dans des enveloppes?

Chapitre VII

Mélanie Hunt! Le directeur n'avait pas besoin de me dire le nom de la rapporteuse. Je n'ai pas répondu: je n'allais pas trahir Jean-François. Et me mettre les pieds dans le plat puisque j'étais complice.

Ma mère a répété la question. Je lui ai dit que je ne pouvais pas répondre car j'avais fait une promesse! Mais je jurais que ce n'était pas de la drogue. Maman bouillait, mais papa lui a fait signe de se calmer. Il m'expliqua que je devais comprendre la situation. Parole d'honneur ou pas. Il voulait savoir ce que je manigançais avec mon copain. Qu'est-ce que Jean-François me remettait dans la cour de l'école? Sans réfléchir j'ai protesté:

— Mais ce n'est pas lui, c'est moi qui lui donne les enveloppes.

Le directeur et mes parents m'ont regardée avec surprise:

— Ainsi, ce n'est pas Jean-François qui apporte les enveloppes?

— Mais non.

Maman tourna la tête vers papa:

— Je te l'avais dit, André, j'ai bien cherché et je n'ai rien trouvé dans ses affaires.

Je me suis mise en colère:

— Quoi? Tu as fouillé dans mes affaires? Tu n'as pas le droit!

Je sortais du salon en courant quand papa m'a rattrapée par le bras:

— Sophie, nous savons que tu ne veux pas qu'on fouille dans tes effets personnels; mais nous n'avions pas le choix. Il s'agit de drogue, tu as l'air de l'oublier! Viens t'asseoir avec nous, je vais te raconter toute l'histoire. Et ensuite tu nous diras ce que tu remets à Jean-François.

— Non. C'est entre nous.

Papa me tapota le bras:

— Écoute d'abord, tu jugeras ensuite. Je sais que je peux me fier à ton bon sens.

Quand mon père me dit qu'il peut compter sur moi ou que je suis raisonnable, je sais qu'il va m'annoncer ensuite quelque chose de désagréable. Sa tactique de flatterie est cousue de fil blanc.

J'avais raison: papa n'avait rien de vraiment marrant à me raconter. Le comité des parents d'élèves était inquiet du problème de la drogue à l'école; il se demandait où les étudiants se procuraient la marchandise qu'ils revendaient ensuite à leurs camarades. Aussi, quand Mélanie a dit à monsieur Lemelin que Jean-François et moi échangions des enveloppes, le directeur a cru que nous étions mêlés au trafic. Il est venu voir immédiatement mes parents pour en discuter. Maintenant, je devais leur dire ce que je remettais à mon copain: quand, pourquoi et comment?

J'ai tiré une enveloppe de poudre que je gardais sur moi et je l'ai remise à mon père. Il a fait: «Oh!», imité par maman et le directeur.

— Vous pouvez le faire analyser, leur ai-je dit, mais je vous jure que c'est du soda. Du bicarbonate de soude, si vous préférez.

Papa goûta, fit la grimace, tendit l'enveloppe au directeur:

— Je crois que Sophie dit la vérité.

J'ai hoché la tête.

— Tu vas nous dire maintenant pourquoi tu remets cette poudre à Jean-François.

— Ça non. J'ai réglé votre problème de drogue, c'est tout ce que je peux faire pour vous.

J'ai croisé les bras en signe de défi. Je devais avoir l'air suffisamment décidée

puisque le directeur s'est levé:

— Bon, nous réglerons ce mystère plus tard. Puisqu'il ne s'agit pas de drogue...

Il est parti; papa et maman l'ont raccompagné jusqu'à la sortie. Je savais bien cependant que la question n'était pas définitivement close. J'ai pris les devants en leur jurant que je leur raconterais tout le lendemain, quand je reviendrais de l'école après avoir vu Jean-François. Ils ont accepté ce compromis. Avaient-ils le choix? J'aurais inventé une histoire s'ils avaient voulu me forcer à parler. Et forcer est un bien grand mot; je ne vois pas comment ils auraient réussi.

J'étais en train de mettre la table quand le téléphone a sonné. Maman a répondu:

— Allô?... Monsieur Lemelin?... Pardon? Mais non, vous avez bien vu que Jean-François n'était pas ici. Tout de suite... Je vous rappelle.

Puis elle a raccroché le récepteur rapidement, elle semblait inquiète et perplexe.

— Sophie, sais-tu où est Jean-François?

— Mais oui. Chez son père.

— Non, il n'y est pas. Le directeur vient de me téléphoner, il a voulu vérifier tes dires et rencontrer Jean-François et ses parents. Il n'y avait que monsieur Auclair à la maison. Il lui a dit que Jean-François devait passer la fin de semaine ici, avec nous. C'est aussi ce qu'il a dit à sa petite soeur.

— Mais Jean-François m'a raconté vendredi qu'il se rendait à Montréal chez son vrai père. Le directeur n'a qu'à téléphoner là-bas.

Maman a repris le téléphone, composé le numéro:

— Oui, monsieur Lemelin? Sophie me dit que Jean-François est chez son père à Montréal. Oui, c'est ça. Au revoir.

Elle s'est tournée vers moi:

— Tu ne trouves pas étrange que Jean-François ait raconté à son beau-père qu'il venait ici?

J'ai hésité:

— Je ne sais pas. Jean-François ne parle jamais avec monsieur Auclair; il ne l'aime pas. Et peut-être que monsieur Auclair ne veut pas que Jean-François voie son père.

Maman a soupiré:

— Pauvre enfant...

Nous nous installions à table quand la sonnerie du téléphone s'est fait entendre de nouveau. Quand maman a posé le récepteur, elle respirait un peu plus vite:

— Sophie, Jean-François n'est pas chez son père.

J'ai failli m'étrangler:

— Quoi? Mais où est-il?

— C'est ce qu'on voudrait bien savoir. Tu ne sais vraiment pas?

— Non. Il m'avait dit qu'il prenait l'autobus pour Montréal vendredi à cinq heures. Pourquoi est-ce qu'il m'aurait menti?

Jean-François avait ses raisons. Et moi, je perdais la raison à me demander où il était. Deux heures plus tard, nous étions toujours sans nouvelles de lui. Son beau-père est venu chez nous. Il avait l'air fatigué. Il m'a demandé de lui répéter ce que Jean-François m'avait dit. J'ai raconté l'histoire du voyage à Montréal. Monsieur Auclair a soupiré. Il a fait un signe de tête à maman. Celle-ci m'a demandé de sortir, d'aller lire dans ma chambre, par exemple.

J'avais envie de rester, mais je voyais bien qu'il était inutile d'insister. J'ai quitté le salon pour me blottir derrière la porte de la cuisine: je pouvais entendre ce que disaient mes parents. Le salon a un mur mitoyen avec la cuisine; aussi, si je collais bien mon oreille sur ce mur de bois et de plâtre, je pouvais saisir quelques bribes de la conversation. J'avais également pris soin d'utiliser un verre comme amplificateur: pour écouter «aux murs», c'est excellent. Il s'agit d'appuyer la base du verre (en vitre) sur son oreille et le côté ouvert, évasé du verre contre le mur: les sons semblent plus près, plus distincts.

J'ai appris ainsi que Jean-François ne

pouvait pas être chez son père: celui-ci vivait en Alberta depuis onze ans. Il avait à peine connu son fils et ne manifestait aucune envie de s'en rapprocher. Monsieur Auclair ajouta qu'il savait bien que Jean-François souffrait de la situation et qu'il le détestait, lui, son beau-père; mais monsieur Auclair affirmait que pour sa part, il aimait ce garçon. Il appréciait l'esprit combatif et ingénieux de Jean-François. Et il trouvait

heureux qu'Alexandra ait un grand frère. Seulement, monsieur Auclair devait avouer que leurs relations étaient tendues. Même si Alexandra essayait de les rapprocher, ils ne se parlaient pas. Trois ans auparavant, Jean-François avait tenté de mettre le feu à la voiture de monsieur Auclair.

— Qu'avez-vous fait? a demandé ma mère.

(Moi, j'ai une petite idée de ce qu'elle aurait fait si j'avais imité Jean-François: j'aurais été privée de télé, de sorties, de cinéma, de roulathèque pendant un an. Au moins un an.) Mais monsieur Auclair a répondu qu'il n'avait rien fait. Il ne voulait pas que Jean-François le craigne. Il pensait qu'il fallait être patient; son beau-fils finirait peut-être par l'accepter. Monsieur Auclair eut un petit rire:

— Seulement, c'est long. Il est si entêté. Mais je ne peux pas le lui reprocher.

Maman approuva:

— Non, vous l'êtes tellement vous aussi!

Papa l'excusa:

— Voyons, Évelyne...

Monsieur Auclair l'interrompit:

— Laissez, votre femme a raison. Elle fait allusion à l'usine, bien sûr. Vous allez être surprise. Je devais attendre le prochain conseil d'administration pour annoncer ma décision: je construirai effectivement une usine, mais le contrat de contrôle de la dépollution sera confié à votre comité. Ce sera à vous de choisir les méthodes de protection.

Maman était trop ébahie pour dire quoi que ce soit. Papa a demandé:

— Mais pourquoi ce changement d'orientation? C'est assez surprenant, vous avez toujours été opposé à la dépollution.

Monsieur Auclair protesta:

— Mais c'est faux! Vous vous référez sans cesse aux usines de Montréal. Il y a longtemps. On ne connaissait pas encore ces dangers. Et je n'étais pas le seul à prendre les décisions. Certes, j'aurais pu me montrer plus vigilant, mais...

Il n'a pas terminé sa phrase, a demandé s'il pouvait utiliser le téléphone. Quand il a raccroché le récepteur, il a expliqué à mes parents:

— Je me suis permis de donner votre numéro de téléphone; actuellement, le directeur appelle tous les élèves du cours de Jean-François. Peut-être est-il avec l'un d'eux?

— Oui, probablement, espérons, a dit maman. Mais, à propos de l'usine, vous avez vraiment changé d'idée?

— Mais j'avais décidé qu'on dépolluerait! J'avoue cependant qu'il m'est arrivé une chose étrange: j'ai reçu une lettre de menaces m'ordonnant de renoncer à construire une usine polluante. Je n'y ai pas porté attention. J'ai reçu ensuite un poisson mort; on m'annonçait des représailles. Le lundi, je reste au bureau toute la journée pour recevoir les techniciens, les architectes, les promoteurs, les employés, etc. Je vois au moins vingt personnes. Le premier lundi suivant la réception du poisson, j'ai été malade. Le médecin a diagnostiqué un empoisonnement alimentaire, mais je crois qu'il s'est trompé. Et c'est bien normal; il ne pouvait pas soupçonner une main criminelle. Moi si. J'ai fait analyser le contenu de ma tasse de café, ou plutôt ce qui en restait: on a découvert des traces d'insecticide. Je n'avais pas entièrement bu le contenu de ma tasse car je trouvais un goût étrange au café. Quand j'ai ressenti des douleurs, j'ai repensé à ma tasse de café et je me suis souvenu des avertissements. Mais qui pouvait m'avoir menacé?

Personne ne parlait. Maman rompit le silence:

— Aucun membre de notre comité, j'en suis certaine. Nous sommes tout de même des adultes et croyons à la discussion. La preuve, c'est que vous changez d'idée pour votre usine.

— Vous avez dit le mot juste, madame. Je pense qu'il y a seulement des enfants qui pourraient songer à des menaces et à une intoxication comme méthodes d'intimidation.

Chapitre VIII

J'ai réprimé un cri; les choses se gâtaient. J'ai tendu l'oreille pour entendre, même si j'avais peur. Monsieur Auclair devinait tout; il racontait que Jean-François et moi étions allés le voir à son bureau la journée où il fut malade. Maman clama:

— Monsieur! Qu'est-ce que vous voulez insinuer? Que ma fille aurait voulu vous empoisonner? Mais ce sont des enfants, vous l'avez dit vous-même!

Le beau-père de Jean-François n'était pas tout à fait d'accord avec ma mère:

— Plus vraiment, ils ont presque quatorze ans. Je dis que ce sont des enfants qui ont tenté de m'empoisonner: ce sont les seuls à avoir l'audace et la naïveté de le faire. C'est pourtant leur action, en partie, qui vous vaudra le contrat pour l'installation du dispositif antipollution.

J'avoue que monsieur Auclair m'était sympathique; il avait raison quand il disait que nous n'étions plus des enfants. On dirait que les parents ne veulent pas savoir que nous grandissons. Ils voudraient peut-être que je joue encore à la poupée alors que je pourrais avoir un bébé. Ce n'est pas que j'en veuille un, mais cela arrive tout de même. L'année dernière, il y a une fille de secondaire IV qui a quitté l'école à cause de cela. C'est vrai aussi qu'il se vend de la drogue à l'école. Heureusement que ça ne m'intéresse pas car je n'ai pas d'argent pour en acheter. Et j'imagine qu'il faut d'abord en acheter pour ensuite en vendre.

Je trouve exagéré et idiot que le directeur puisse croire qu'on trempe dans un trafic de cocaïne, Jean-François et moi! C'est absurde! Et je me demande bien qui a assez de fric pour acheter de cette fameuse poudre blanche! On peut lire dans les journaux que la cocaïne se vend 150 $ le gramme. (À ce prix-là, j'aimerais mieux acheter quinze disques.)

Même les plus vieux de seize ans qui travaillent les fins de semaine n'ont pas tant d'argent. Et ils veulent le garder pour autre chose. Mon frère Pierre, qui travaille chez McDonald, économise pour s'acheter une moto. Même si ma mère n'est pas d'accord. On verra bien. Après tout, c'est son argent, et Pierre me laisserait peut-être monter de temps en temps…

J'avais toujours l'oreille collée au verre et j'aurais bien poursuivi mon écoute; mais j'ai jugé qu'il valait mieux prévenir Jean-François avant que son beau-père ne le retrouve. Il fallait bien qu'on donne la même version de l'histoire.

Aussi curieux que cela puisse paraître, je craignais moins les réactions de monsieur Auclair que celles de mes parents. Monsieur Auclair n'avait pas l'air sévère; il semblait même prêt à tout pardonner. Je crois qu'il aime vraiment Jean-François. Je le lui dirai quand je le retrouverai. Mais où? Je n'avais qu'une solution: aller voir mon frère Pierre. Il a beaucoup de défauts, mais il est débrouillard; par ailleurs, je ne pouvais tout de même pas raconter l'histoire à mes parents. Je ne savais trop comment m'en tirer.

Quand Pierre m'a vue arriver sur le court de tennis, on ne peut pas dire qu'il rayonnait de joie. Parce qu'il était avec Isabelle. Je les dérangeais dans leurs confidences roucoulantes. Je me demande ce qu'il lui trouve: depuis qu'elle s'est fait friser les cheveux, elle ressemble à un caniche. Ça ne lui va pas du tout. Enfin, je n'étais pas là pour discuter coiffure; j'ai dit à Pierre que je devais lui parler immédiatement. Seul.

— Écoute, Sophie, je suis occupé. Reviens plus tard. Qu'est-ce qui te prend de venir me chercher ici?

— Il faut que je te voie tout de suite. C'est très grave.

À contrecoeur, il fit un petit signe à sa «sirène», l'air de dire: «Je m'occupe de ma petite soeur et je te reviens…»

Il m'énerve quand il agit ainsi: j'ai failli ne rien lui dire, mais j'étais trop embêtée. J'ai déballé toute l'histoire très rapidement. Quand j'eus terminé, Pierre s'est dirigé vers Isabelle qui l'attendait plus loin:

— Désolé, je dois passer à la maison. Mais on se voit au cinéma ce soir? Je vais te rappeler, de toute façon. Tu seras chez toi?

Après qu'il eut fini d'embrasser Isabelle, mon frère s'est frotté le menton comme s'il avait enfin de la barbe (je sais qu'il se rase en cachette pour qu'elle pousse plus vite), il m'a dit:

— Toi, on ne peut pas dire que tu brilles par ton intelligence. Ça t'arrive de réfléchir?

— Si c'est pour jouer au père que tu m'aides, on peut laisser tomber tout de suite.

— Non, calme-toi. Tu me demandes de t'aider, mais je ne suis pas bionique. Comment pourrais-je savoir où est Jean-François?

— Mais il faut bien qu'il soit quelque part!

— Tu as pensé à vos amis?

— Oui. Il paraît que le directeur a appelé tous les élèves du secondaire III et personne ne l'a vu.

— Et sa mère? Il ne serait pas avec elle?

— Non. Elle est en Floride.

— Pourquoi?

— Je ne sais pas. C'est plutôt Jennie, la bonne, qui s'occupe de Jean-François et Alexandra de toute façon. Même lorsque sa mère est là.

— Elle devrait savoir où est Jean-François puisqu'elle prend soin de lui? Je suppose que le directeur lui a déjà demandé?

— Mais non, Jennie est absente pour la fin de semaine.

— Jean-François s'entend bien avec elle?

— Oui. Il l'aime beaucoup.

Pierre s'écria:

— Jean-François est absent, Jennie est

absente, Jean-François aime Jennie: 1 + 1 + 1 = 3: ils doivent être ensemble.

Pierre avait sûrement raison et je me trouvais idiote de ne pas avoir pensé à cela. Mais on ne progressait pas tellement: même si on savait que Jean-François était avec Jennie, on ignorait où elle était. Et seul monsieur Auclair devait le savoir. On ne pouvait tout de même pas le lui demander. Et il fallait faire vite car il penserait lui aussi à Jennie. Pierre me fit sursauter:

— Jennie, est-ce qu'elle n'est pas américaine?

— Non. Canadienne-anglaise.

— Mais elle est blonde, jolie? Très jolie?

— Elle est blonde, oui. (Mais ce n'est parce qu'on est blonde qu'on est jolie!)

Pierre m'a presque arraché le bras en me tirant derrière lui:

— Viens vite. Non, appelle plutôt les parents pour leur dire que tu es avec moi au tennis. Il ne faudrait pas qu'on te recherche toi aussi!

Je ne comprenais pas, mais j'obéissais: Pierre semblait sûr de ce qu'il faisait. J'ai été chanceuse: c'est papa qui a répondu au téléphone et il ne pose jamais de questions. Nous avons ensuite couru prendre l'autobus. Pierre pestait:

— Si j'avais ma moto, on serait déjà arrivés!

Dans l'autobus, Pierre m'a demandé si je pensais que Jean-François vendait de la drogue à l'école. Ah non! Mon frère aussi était tombé sur la tête! Je lui ai dit qu'on ne touchait pas à ça, ni lui ni moi. Pierre a sourcillé:

— Tu en es certaine?

— Oui. Mais pourquoi me parles-tu de drogue?

— Parce que je crois que Jennie en vend. Au bar «Bonnie and Clyde». Parfois.

— Tu y es déjà allé?

— Oui, mais ne le répète pas aux parents.

— Tu m'énerves, tu sais très bien que je tiens ma langue. Mais Jennie? Où est-elle?

— Chez Jacques. Enfin, je le crois. Jacques est le frère d'Isabelle. Elle le voit souvent.

Je ne savais pas qu'Isabelle avait un frère et je m'en fichais: l'important était de retrouver Jean-François. Nous avons eu de la veine, Jennie était chez Jacques. Quand nous sommes entrés dans l'appartement, Jean-François avait l'air furieux de me voir. Il a crié:

— Qu'est-ce que tu viens faire ici?

Moi qui m'étais donné tout ce mal! Même si j'étais soulagée de le retrouver, je ne l'ai pas laissé paraître; je lui ai dit ma façon de penser:

— Tu ne voulais pas que je sache que tu étais ici. Espèce de menteur! Tu n'es pas allé chez ton père!

Le complot

Jean-François s'est jeté sur moi. Pierre a juste eu le temps de nous empêcher de nous battre. Il a expliqué la situation à Jean-François, lui conseillant de téléphoner immédiatement chez lui avant que monsieur Auclair ne prévienne la police.

— Mais pourquoi appellerait-il la police?

— Parce qu'il s'inquiète de ta disparition, espèce d'idiot! Si tu ne réapparais pas bientôt, il va lancer un avis de recherche. Et je ne crois pas que Jennie aimerait voir la police se mêler de ses affaires. Est-ce que je me trompe?

Jennie sourit légèrement:

— Oh no. Plous de probleme. J'ai vend plous. But, I had needed money last time, you know what I mean?

Pendant que Jennie et Pierre se parlaient, j'expliquais la situation à Jean-François:

— Ton beau-père a tout deviné; il est vraiment futé! Et large d'esprit: il a dit à ma mère qu'il n'y avait pas de quoi faire un drame, qu'il avait pris conscience des dangers de la pollution grâce à nous.

J'ai hésité avant de poursuivre:

— Il n'est pas si mal, ton beau-père. Moi, si mes parents ont la preuve que le bicarbonate de soude remplaçait le Cabaryl, je ne suis pas mieux que morte!

Jean-François m'interrompit:

— Pourquoi me parles-tu de bicarbonate de soude?

J'ai avoué à Jean-François que je l'avais trompé en lui affirmant depuis deux semaines que je lui remettais du Cabaryl.

— Mes parents sont assez sévères! Il faut qu'on invente une histoire car ils pensent qu'on vendait de la drogue à l'école! Ils sont fous! Je leur ai donné un sac de poudre pour qu'ils voient que c'est faux, mais…

En temps normal, il se serait mis en colère, mais dans les circonstances, cela l'arrangeait plutôt. J'ai aussi expliqué que monsieur Auclair croyait qu'on l'avait empoisonné même s'il n'avait pas de preuves.

Nous sommes rentrés juste à temps: maman mettait la voiture en marche pour venir nous chercher au club de tennis!

Quand elle a vu Jean-François, elle l'a serré contre elle. Je crois qu'elle était vraiment inquiète. Nous avons téléphoné tout de suite à monsieur Auclair qui est venu chez nous.

Quand il est arrivé, il avait un drôle d'air,

hésitant. Jean-François le regardait sans dire un mot. Monsieur Auclair aussi se taisait, mais il souriait un peu. Finalement, il a demandé à Jean-François s'il voulait bien revenir avec lui. Il a ajouté qu'Alexandra le réclamait. Jean-François a accepté de rentrer. (Je me demande bien où il serait allé de toute façon.) Avant de sortir, son beau-père nous a demandé où nous avions trouvé l'insecticide.

J'ai senti mes jambes mollir. Je n'ai pas eu le temps de dire quoi que ce soit, Jean-François m'a devancée:

— Sophie n'a rien à voir dans cette histoire; elle m'apportait seulement du bicarbonate de soude que j'ajoutais à l'insecticide. Je lui avais raconté que j'avais besoin de bicarbonate pour une expérience de chimie. Laisse-la tranquille.

Monsieur Auclair a répondu calmement:

— Mais je ne lui veux pas de mal, Jean-François. Calme-toi. Viens, nous reparlerons de tout cela à la maison.

Le lendemain, à l'école, Jean-François avait l'air abasourdi. Moi aussi. Son beau-père ne l'a pas puni! Moi, j'ai eu droit à un sermon même si Jean-François avait dit qu'il m'avait fait marcher. J'ai demandé à Jean-François s'il savait que Jennie vendait de la drogue.

— Oui, je m'en doutais. Mais ce n'était pas de mes affaires. Jennie est si gentille avec moi.

Il me semble que Jean-François a bien raison de se mêler de ce qui le regarde. Je lui ai malgré tout reparlé de son beau-père, même si je sais que ça l'embête: il faut bien qu'il sache que monsieur Auclair a dit qu'il l'aimait!

Ce que je me demande, c'est comment monsieur et madame Hunt réussissent à aimer leur fille! Mélanie est tellement désagréable; je dis toujours que c'est elle que nous aurions dû empoisonner!

Catherine et Stéphanie, volume 2

Table des matières

Découvrez les autres séries de la courte échelle

Hors collection Premier Roman

Série Adam Chevalier:
Adam Chevalier

Série Babouche:
Babouche

Série Clémentine:
Clémentine

Série Fred:
Fred, volume 1

Série FX Bellavance:
FX Bellavance, volume 1

Série Les jumeaux Bulle:
Les jumeaux Bulle, volume 1
Les jumeaux Bulle, volume 2

Série Marcus:
Marcus

Série Marilou Polaire:
Marilou Polaire, volume 1

Série Méli Mélo:
Méli Mélo, volume 1

Série Nazaire:
Nazaire

Série Pitchounette:
Pitchounette

Série Sophie:
Sophie, volume 1
Sophie, volume 2

Hors collection Roman Jeunesse

Série Andréa-Maria et Arthur:
Andréa-Maria et Arthur, volume 1
Andréa-Maria et Arthur, volume 2

Série Ani Croche:
Ani Croche, volume 1
Ani Croche, volume 2

Série Catherine et Stéphanie:
Catherine et Stéphanie, volume 1

Série Germain:
Germain

Série Maxime:
Maxime, volume 1

Série Mélanie Lapierre:
Mélanie Lapierre

Série Notdog:
Notdog, volume 1
Notdog, volume 2
Notdog, volume 3

Série Rosalie:
Rosalie, volume 1
Rosalie, volume 2

Achevé d'imprimer en juillet 2011
sur les presses de l'imprimerie Gauvin,
Gatineau, Québec